DE BROE

IBIS-REEKS 22

Wolfgang Koeppen
De broeikas

ROMAN

Vertaald door Wim Platvoet

UITGEVERIJ THOTH · BUSSUM

Deze vertaling is totstandgekomen dankzij financiële steun
van de Commissie van de Europese Gemeenschappen.
De vertaler ontving voor deze vertaling een werkbeurs van de
Stichting Fonds voor de Letteren.

Oorspronkelijke titel: *Das Treibhaus*
© 1953 Scherz & Goverts Verlag GmbH Stuttgart
Alle rechten thans bij Suhrkamp Verlag Frankfurt am Main
© 1997 Nederlandse vertaling: Wim Platvoet
en Uitgeverij THOTH, Bussum
Grafische vormgeving: Joost van de Woestijne
Foto omslag: Particam Pictures, Duitsland 1950
Foto achterplat: Isolde Ohlbaum
Druk: Drukkerij Haasbeek, Alphen aan den Rijn

ISBN 90 6868 168 0 / NUGI 301

God alleen weet hoe gecompliceerd de politiek is en dat verstand en gevoel van de mensen enkel als hulpeloze sijsjes in de strop fladderen. Maar wanneer we ons over een groot onrecht niet voldoende kunnen opwinden, zullen we nooit rechtschapen kunnen handelen.

Harold Nicholson

Het proces van de geschiedenis is een verbranden.

Novalis

De roman *De broeikas* heeft met de actualiteit, vooral de politieke, slechts in zoverre iets te maken dat deze een katalysator voor de fantasie van de schrijver is geweest. Figuren, plaatsen en gebeurtenissen die de vertelling een kader geven, zijn nergens identiek aan de werkelijkheid. Het eigene van bestaande personen wordt door de zuiver fictieve beschrijving niet aangestipt en is ook niet door de schrijver bedoeld. De dimensie waarbinnen alle uitspraken van het boek zich bevinden ligt aan gene zijde van de verbanden tussen mensen, organisaties en gebeurtenissen van ons tijdgewricht; de roman heeft zijn eigen poëtische waarheid.   W. K.

I

Hij reisde onder de dekmantel van de onschendbaarheid, want hij was niet op heterdaad betrapt. Maar wanneer bleek dat hij een misdadiger was, lieten ze hem natuurlijk vallen, leverden ze hem graag uit, zij die zich het Hogerhuis noemden, en wat een buitenkansje was dat voor hen, wat een geluk, wat een voldoening, dat hij met zo'n groot, met zo'n onverwacht schandaal vertrok, in de cel verdween, achter de gevangenismuren wegkwijnde, en zelfs in zijn fractie zouden ze opgewonden over de smaad spreken die zij allemaal door hem leden (zij allemaal, zij allemaal de huichelaars), maar ze zouden heimelijk in hun handen wrijven, ze zouden blij zijn dat hij zichzelf had uitgestoten, dat hij moest gaan, want hij was de zoutkorrel geweest, de onrustbacil in hun milde trage partijbrei, een gewetensmens en daarom een ergernis.

Hij zat in de Nibelungenexpres. Het rook naar nieuwe verf, naar renovatie en restauratie; het was goed reizen met de Duitse Spoorwegen; en van buiten waren de wagons bloedrood gelakt. Bazel, Dortmund, Zwerg Alberich en de schoorstenen van het industriegebied; doorgaand rijtuig Wenen-Passau, veemmoordenaar Hagen had het zich gemakkelijk gemaakt; doorgaand rijtuig Rome-München, het purper van de kardinalen was te zien door de kieren in de geblindeerde ramen; doorgaand rijtuig Hoek van Holland-Londen, de godenschemering van de exporteurs, de vrees voor de vrede.

Wagalaweia, dreunden de wielen. Hij had het niet gedaan. Hij had geen moord begaan. Waarschijnlijk was hij niet geschikt om een moord te begaan; maar hij zou een moord hebben kunnen begaan, en alleen al de voorstelling dat hij het had ge-

7

daan, dat hij de bijl had opgeheven en had toegeslagen, deze veronderstelling stond hem zo duidelijk, zo levendig voor de geest, dat zij hem sterkte. De moordgedachten liepen als hoog-spanningsenergiestromen door lichaam en ziel, ze gaven vleugels, ze gaven licht, en even had hij het gevoel dat nu alles goed zou komen, dat hij alles beter aan zou pakken, dat hij toe zou slaan, dat hij succes zou hebben, dat hij tot actie over zou gaan, zijn leven ten volle benutten, naar nieuwe gebieden doorstoten – jammer genoeg had hij opnieuw alleen in zijn fantasie een moord begaan, was hij de oude Keetenheuve gebleven, een dromer *lijdend aan de flauwte van het denken.*

Hij had zijn vrouw begraven. En omdat hij zich in het burgerlijk leven niet thuisvoelde, stond de begrafenisdaad hem tegen, zoals hij ook kinderdoop en bruiloft verschrikkelijk vond en elk gebeuren tussen twee mensen wanneer het zich in de openbaarheid voltrok en ook de officiële instanties zich er nog mee bemoeiden. Deze dood deed hem pijn, hij voelde een diep verdriet, een wurgend leed, toen men de kist in de aarde liet zakken, het liefste was hem ontnomen, en ook al was het woord door miljoenen rouwkaarten van gelukkige erfgenamen afge-sleten, hem was het liefste ontnomen, de geliefde werd onder de grond gestopt, en het gevoel *voor altijd voor altijd verloren ik zal haar niet terugzien niet in de hemel en op aarde ik zal haar zoeken en niet vinden* dat zou hem hebben laten huilen, maar hij kon hier niet huilen, ofschoon alleen mevrouw Wilms op het kerk-hof naar hem keek. Mevrouw Wilms was zijn werkster. Ze gaf Keetenheuve een boeket geknakte asters uit het volkstuintje van haar zwager. Op de bruiloft was mevrouw Wilms met een soortgelijk boeket geknakte asters gekomen. Toen zei ze: 'U bent een mooi paar!' Nu zweeg ze. Hij was geen mooie weduwnaar. Er schoot hem telkens iets komisch te binnen. Op school had hij, in plaats van naar de leraar te luisteren, aan iets belachelijks gedacht, in de commissies, in de plenaire vergadering zag hij zijn waardige collega's als clowns in de piste optreden, en zelfs bij levensgevaar was hem het telkens ook groteske van de situatie niet ontgaan. Weduwnaar was een komisch woord, een afgrijselijk komisch woord, een wat stoffig begrip uit een gemoedelijker tijd. Keetenheuve herinnerde zich als kind een weduwnaar te hebben gekend, meneer Possehl. Meneer Possehl, weduwnaar, leefde nog in harmonie met een geordende wereld; de kleine stad respecteerde hem. Meneer Possehl had weduwnaarskleren aangeschaft, een stijve zwarte hoed, een pandjesjas, een gestreepte broek en later een altijd wat smoezelig wit vest, waarop een gouden horlogeketting hing met een tand van een everzwijn eraan; een symbool dat het dier overmeesterd was. Zo was meneer Possehl, wanneer hij bij bakker Labahn zijn brood kocht, een levende allegorie van de trouw over de dood heen, een ontroerende en achtenswaardige gestalte van verlatenheid. Keetenheuve was niet achtenswaardig, en hij ontroerde ook niemand. Hij bezat noch een stijve noch een gewone hoed, en voor de begrafenis had hij zijn afgezaagd modieuze trenchcoat aangetrokken. Het woord weduwnaar, dat mevrouw Wilms niet had uitgesproken, maar dat hem bij mevrouw Wilms' geknakte asters te binnen was geschoten, achtervolgde en verbitterde hem. Hij was een ridder van de droevige, hij was een ridder van de komische gestalte. Hij verliet het kerkhof, en zijn gedachten ijlden naar zijn misdaad toe.

Hij handelde dit keer bij het denken niet verstandelijk, hij handelde instinctmatig, vanuit zijn woede, en Elke, die hem steeds had verweten dat hij enkel leefde in de wereld van de boeken, Elke zou blij zijn geweest dat hij direct en consequent tot actie overging en bovendien ook nog goed oplette, als de held van een film. Hij merkte dat hij door de steegjes met twee dehandswinkels zwierf en in kelders en uithoeken de weduwnaarskleren kocht. Hij verwierf de gestreepte broek, de pandjesjas, het witte vest (smoezelig als bij meneer Possehl), de stijve waardige hoed, een gouden horlogeketting, en alleen de zwijnentand kon hij niet te pakken krijgen en zo ook geen overwinning op het dier behalen. In het grote warenhuis bracht de roltrap hem naar de afdeling voor bedrijfskleding, en hij kocht een witte overjas, zo een als de veedrijvers gebruiken. Op een houtwerf stal hij de bijl. Het was heel eenvoudig; de timmerlui aten hun avondbrood en hij pakte de bijl uit een hoop spaanders en ging er langzaam vandoor.

Een groot, drukbezocht hotel met meerdere uitgangen was de schuilplaats van de moordenaar. Hier nam hij zijn intrek, *Keetenheuve Afgevaardigde van de Bondsdag Possehl Weduwnaar uit Kleinwesenfeld*. Hij kleedde zich om. Hij hulde zich voor de spiegel in de weduwnaarskleren. Hij ging op Possehl lijken. Hij was Possehl. Hij was eindelijk achtenswaardig. 's Avonds ging hij op stap, de veedrijversjas en de bijl onder zijn arm. In de trieste straat scheen groen de schorpioen uit het zwarte glas van het caféraam. Het was het enige licht in de buurt, een veenlicht uit een duistere geschiedenis. Achter de gesloten verroeste jaloezieën sluimerden de kleine melkwinkels, de groentewinkels, de bakkerij. Het rook muf, rottend en zurig; het rook naar vuil, naar ratten, naar ontkiemde kelderaardappelen en naar aangekoekt gistdeeg van de bakker. Uit de *Schorpioen* lokte grammofoonmuziek. Rosemary Clooney zong *Botch-a-me*. Keetenheuve ging in een portiek staan. Hij trok de veedrijversjas aan, hij nam de bijl in de hand – een slachter die op de stieren wacht.

De stier kwam, Wanowski verscheen, vuil borstelig kroeshaar op de stierenschedel, een wijf dat werd gevreesd als vechtersbaas en macht over de tribaden had verkregen; het deed hun aangenaam pijn wanneer Wanowski opdook en ze noemden haar de landsvorstin. Ze droeg een mannenkostuum, het kostuum van een dikke man, het achterwerk strak gespannen, de opgehoogde met watten gevoerde schouders waren een symbool van penisnijd, tegelijkertijd belachelijk en angstaanjagend, en tussen de volle lippen en het met kurk weggebrande baarddons kouwde ze op het lelijk afgekloven stompje van een bittere sigaar. Geen medelijden! Geen medelijden met de menseneter! En geen gelach dat verzoent! Keetenheuve hief de bijl omhoog, hij sloeg toe. Hij sloeg in het borstelwerk, in het kroeshaar, deze volle baard waarmee hij haar overal bedekt waande, hij spleet de schedel van de stier. De stier zakte neer. Hij zakte in elkaar. Het stierenbloed kleurde de veedrijversjas.

Jas en bijl gooide hij in de rivier, de weduwnaar Possehl, hij boog zich over de brugleuning, jas en bijl zonken naar de rivierbodem, ze waren opgeruimd, het water kwam tot rust, *water van de bergen gesmolten sneeuw gletscherpuin blanke goed smakende forellen.*

Niemand had hem gezien, niemand had hem kunnen zien, want helaas had hij de daad niet verricht, hij had wederom alleen gedroomd, op klaarlichte dag gedroomd en zich niet vermand, hij had gedacht in plaats van te handelen, het was eeuwig, eeuwig het oude lied. Hij was tekortgeschoten. Voor elke levenstaak schoot hij tekort. Hij was negentienhonderddrieëndertig tekortgeschoten en negentienhonderdvijfenveertig tekortgeschoten. Hij was in de politiek tekortgeschoten. Hij was in het beroep tekortgeschoten. Hij kon het bestaan niet aan, wie kon dat wel, domkoppen, het leek wel een vloek, maar dit had alleen met hem te maken, hij was ook in zijn huwelijk tekortgeschoten, en nu, op het moment dat hij vol verdriet aan Elke dacht, met de echte en niet meer belachelijke smart van de weduwnaar, aan Elke onder de grond van het kerkhof en al overgeleverd aan het onbekende, de metamorfose die verschrikkelijk was wanneer het het Niets was, en die verschrikkelijk bleef wanneer het meer dan niets was, op dit moment leek het hem dat hij niet kon liefhebben en niet kon haten, en alles was slechts een geil gefriemel, een betasten van oppervlaktes. Hij had Wanowski niet doodgeslagen. Ze leefde. Ze zat in de *Schorpioen*. Ze heerste, ze dronk, ze trad als koppelaarster op onder de tribaden. Ze luisterde naar het grammofoonplatengezang van Rosemary Clooney, *botch-u-me, botch-u-me* en toen werd het hem uiterst bang te moede, want hij had toch een moord begaan!

Wagalaweia, loeide de locomotief. Elke was bij hem gekomen toen ze honger had, en hij had toen conserven, een warme kamer, drank, een kleine zwarte kater en na een lange onthouding zin in mensenvlees, een formulering die Novalis voor de liefde gebruikt.

Hij had nooit opgehouden zich een Duitser te voelen; maar in die eerste naoorlogse zomer was het voor iemand die elf jaar was weggeweest niet gemakkelijk om zich te oriënteren. Hij had veel te doen. Na lange braakjaren kreeg de tijdgeest hem te pakken en nam hem op in zijn gewoel, en hij geloofde toen dat in de tijd iets in vervulling zou gaan.

Op een avond keek hij uit het raam. Hij was moe. Het werd vroeg donker. Wolken stonden dreigend aan de hemel. De wind deed stof opwaaien. Toen zag hij Elke. Ze glipte de ruïne aan de overkant in. Ze glipte in de spleet van de gebarsten muur, in de krochten van puin en stenen. Ze leek op een dier dat wegkruipt.

Het stortregende. Hij ging naar beneden, de straat op. Hij stond te rillen van de regen en van de storm. De stof vloog in zijn mond en in zijn ogen. Hij haalde Elke uit de puinhopen. Ze was doorweekt en smerig. De bezoedelde jurk plakte op haar blote huid. Ze had geen ondergoed aan. Ze was naakt blootgesteld aan het stof, de regen, de harde stenen. Elke kwam uit de oorlog en was zestien jaar. Hij hield niet van haar naam. Hij wekte zijn argwaan op. Elke, dat was een naam uit de noordse mythologie, hij deed denken aan Wagner en zijn hysterische helden, aan een sluwe, boosaardige en wrede godenwereld, en kijk, Elke was de dochter van een gouwleider en stadhouder van de despoot.

De gouwleider en zijn vrouw waren omgekomen. Ze hadden de kleine zelfmoordcapsule voor noodsituaties ingeslikt, en Elke had het bericht over de dood van haar ouders in het bos gehoord. Ze hoorde het bericht (en meer dan een bericht was het niet, want de tijd had de dag als het ware gechloroformeerd, en Elke had bij alle schokken het gevoel dat ze in watten lag en in een wattenkist door ruwe handen in de rondte werd gegooid) uit een krakende, door geheime tekens en hulpkreten verhit geraakte radio-ontvanger in een groep Duitse soldaten, die zich hadden overgegeven en wachtten op hun afvoer naar de gevangenschap.

Twee negers bewaakten haar, en Elke kon hen niet vergeten.

De negers waren grote slungelachtige knapen, die in een vreemde balans, klaar om op te springen, op hun hielen hurkten. Dat was een houding uit het oerwoud. De geweren van de beschaving rustten op hun knieën. Aan hun patroongordels hingen lange, geknoopte leren zwepen. De zwepen waren veel indrukwekkender dan de geweren.

Af en toe stonden de negers op en deden hun behoefte. Ze deden hun behoefte met veel ernst en zonder de blik van hun kogelronde witbelopen ogen (die op de een of andere manier trouwhartig waren) van de gevangenen af te houden. De negers pisten in twee hoge stralen in het gras onder de bomen. De zwepen bungelden terwijl ze pisten tegen hun lange mooie bovenbenen, en Elke moest aan de neger Owens denken, die in Berlijn bij de olympische wedstrijd had gewonnen. De Duitse soldaten stonken naar regen, aarde, zweet en wonden, ze stonken naar vele straten, naar slaap in de kleren, naar overwinningen en naar nederlagen, naar angst, naar te zware inspanning, verveling en dood, ze stonken naar het woord onrecht en naar het woord vergeefs.

En achter het bewaakte gebied doken op wildpaden, schuchter achter het struikgewas, nog vol angst voor de soldaten, de negers nog wantrouwend, spookachtige figuren op, uitgeteerde lichamen, gebroken skeletten, hongerige ogen en lijdende voorhoofden, ze kwamen uit krochten waar ze zich hadden verstopt, ze ontsnapten uit de kampen des doods, ze zwierven rond, zover hen de vermagerde, de kapotte voeten droegen, de kooi was open, het waren de vervolgden, de opgeslotenen, de opgejaagden van de regering, die Elke een mooie jeugd hadden bezorgd, *spelletjes op het stadhouderslandgoed van de vader, vlinders fladderen over de bloemen op het terras, een gevangene dekt de ontbijttafel, gevangenen harken het grind op de paden van het park, gevangenen besproeien het gazon, het paard wordt voorgeleid voor de ochtendrit, vaders glimmend gewreven hoogschachtige laarzen blinken, een gevangene heeft ze gepoetst, het zadeltuig kraakt, het goeddoorvoede, het mooi geroskamde paard snuift en schraapt met zijn hoeven —*

Elke wist niet hoe ze verder getrokken was; nu eens met deze en dan weer met die groep.

Keetenheuve's kleine kater was het die Elke vertrouwelijk stemde. Het meisje en de kat, ze waren jong, en ze speelden samen. Ze hielden ervan Keetenheuve's manuscriptbladjes tot ballen te verfrommelen en naar elkaar toe te gooien. Wanneer Keetenheuve van zijn vele bezigheden, waarin hij steeds verder verstrikt raakte en die hem steeds meer teleurstelden, thuiskwam, riep Elke: 'Het baasje komt!' Het baasje was Keetenheuve waarschijnlijk ook voor haar. Maar al gauw verveelde Elke het gedoe met de kater, ze raakte in een slecht humeur wanneer Keetenheuve 's avonds achter zijn papieren zat, toentertijd bezeten door de gedachte te helpen, op te bouwen, wonden te genezen, voor brood te zorgen, en omdat hun vriendschap zo schipbreuk leed, lieten zij zich in de echt verbinden.

Het huwelijk maakte alles gecompliceerder. In alle vragenlijsten, die waren uitgevonden door de nationaal-socialisten, maar pas door hun overwinnaars volledig waren ontwikkeld, in alle vragenlijsten was Keetenheuve nu de schoonzoon van de dode gouwleider. Dat bevreemdde velen, maar hem kon het niet schelen, want hij was in alle gevallen tegen collectieve aansprakelijkheid van de familie, en dus ook in het geval van zijn vrouw. Het was erger dat het huwelijk hem innerlijk bevreemdde. Hij was een vrijgezel, een eenling, misschien een wellusteling, misschien een anachoreet, hij wist het niet, hij slingerde heen en weer tussen die bestaansvormen, maar het stond vast dat hij met het huwelijk aan een ervaring was begonnen die niet voor hem was bestemd en die hem bovenmatig belastte. Hij had bovendien (met plezier) een kind getrouwd dat in leeftijd zijn dochter kon zijn, en hij moest nu gezien haar jeugd vaststellen dat hij niet volwassen was. Ze pasten voor de liefde bij elkaar, maar niet voor het leven. Hij kon begeren, maar hij kon niet opvoeden. Hij had ook niet veel op met opvoeding, maar hij zag dat Elke ongelukkig werd van buitensporig veel vrijheid. Ze wist met de vrijheid niets te beginnen. Ze verloor zichzelf erin. Het leven dat ogenschijnlijk geen verplichtingen kende leek voor Elke een uitgestrekt water, dat haar landloos omspoelde, een oceaan der leegte, waarvan de oneindige verlatenheid alleen door het gekabbel van de lust, door het schuim van de verveling, door de wind uit voorbije dagen tot leven werd gebracht. Keetenheuve was een wegwijzer, die weliswaar op Elke's levensweg was geplaatst, maar alleen om haar op een dwaalspoor te brengen. En toen ondervond Keetenheuve, wat voor hem nieuw en (niet voor hem weggelegd) deprimerend was, het diepbedroefd zijn na vele gemeenschappen, het doodzondegevoel van de vromen. Maar eerst stilde hij zijn honger. Elke had veel liefde nodig. Ze was zinnelijk, en eenmaal ontwaakt was haar verlangen naar tederheid mateloos. Ze zei: 'Houd me vast!' Ze leidde zijn hand. Ze zei: 'Voel me!' Ze kreeg hete dijen, het lichaam brandde, ze gebruikte groffe woorden, ze riep: 'Neem me! Neem me!' En hij was verrukt, hij herinnerde zich zijn honger, het dwalen door de straten van vreemde steden, waarheen de afschuw voor Elke's ouders hem had gedreven, hij dacht aan de etalages van de duizendvoudige verleiding, aan de lokkende poppen, hun naïef wulpse houdingen, aan uitgestald ondergoed, aan de dames op de affiches die hun kousen hoog tot aan hun dijen optrokken, aan meisjes wier taal hij niet sprak en die als ijs en vuur ineen langs hem liepen. De echte wellust was hem tot nu toe enkel in de droom verschenen, in de droom had hij de lichamelijkheid ervaren, enkel in de droom de vele prikkels van de huid, in de droom de samensmelting, de vreemde adem, de hete geuren. En de genoten snelle lust in rendez-vouswijken, op banken in het park, in hoekjes van de oude stad, wat was dat vergeleken met de uitputtende verleiding van de aaneengeregen seconden, met de aaneenschakeling van de minuten, de ring van de uren, het wiel van de dagen, weken en jaren, een verleiding in eeuwigheid, en daarbij de voortdurende gelegenheid van de huwelijksband, die bij iemand uit ontzetting over zoveel duurzaamheid het uiterste naar boven liet komen?

Elke streelde hem. Het was de tijd van de stroomloze uren.

De nachten waren beklemmend en donker. Keetenheuve had voor zijn werk een batterijlamp aangeschaft. Elke deed de lamp naast het bed aan, en het licht viel fel op de liggenden, zoals de straal van een schijnwerper op een straat bij nacht een naakt paar gevangen houdt. Elke bekeek Keetenheuve lang en aandachtig. Ze zei: 'Op je twintigste moet je knap zijn geweest.' Ze zei: 'Je hebt veel meisjes bemind.' Hij was negenendertig. Hij had niet veel meisjes gehad. Elke zei: 'Vertel me iets.' Ze vond zijn leven bewogen en bont, rijk aan voor haar onbegrijpelijke sprongen, bijna de biografie van een avonturier. Dat alles was vreemd voor haar. Ze begreep niet op welk gesternte hij zich richtte. Toen hij haar zei waarom hij de politiek van de nationaal-socialisten had ontlopen en naar het buitenland was gegaan, zag ze geen reden voor dat gedrag, behalve een onzichtbare, een in elk geval ongrijpbare; hij was nu eenmaal moraliserend. Ze zei: 'Je bent een schoolmeester.' Hij lachte. Maar misschien lachte alleen zijn gezicht. Misschien was hij altijd een oude schoolmeester geweest, een oude schoolmeester en een oude schooljongen, een ongemanierde leerling, die zijn huiswerk niet kende omdat hij van de boeken hield. Elke ging in de loop van de tijd Keetenheuve's vele boeken haten, ze ageerde tegen de talloze schriften, papieren, de cahiers, de dagboeken, de krantenknipsels en ontwerpen die overal rondslingerden en Keetenheuve uit hun bed ontvoerden naar gebieden waarheen zij de weg niet vond, naar rijken die voor haar geen poort hadden.

Keetenheuve's bezigheden, zijn medewerking aan de wederopbouw, zijn drang om voor de natie nieuwe grondbeginselen van het politieke leven en de vrijheid van de democratie te creëren, hadden tot gevolg gehad dat hij in de Bondsdag werd gekozen. Hij was op een verkiesbare plaats gezet en had zijn zetel gekregen zonder zich als verkiezingsredenaar te hoeven inspannen. Het einde van de oorlog had hem met verwachtingen vervuld die nog een poosje aanhielden, en hij geloofde zich nu aan iets te moeten wijden, nadat hij zich zo lang afzijdig had gehouden. Hij wilde jeugddromen verwerkelijken, hij geloofde toen in een verandering, maar weldra zag hij in hoe dwaas dit geloof was, de mensen waren natuurlijk dezelfden gebleven, ze dachten er helemaal niet over anderen te worden omdat de regeringsvorm veranderde, omdat er in plaats van bruine, zwarte en veldgrijze uniformen nu olijfkleurige uniformen door de straten liepen en bij de meisjes kinderen maakten, en alles liep weer eens stuk op kleinigheden, op het taaie slijk van de bodem, dat de stroom van het frisse water afremde en alles bij het oude liet, bij een overgeleverde levensvorm waarvan iedereen wist dat ze een leugen was. Keetenheuve stortte zich aanvankelijk vol ijver op het werk van de commissies, hij voelde een drang de verloren jaren in te halen, en *als in bloei zou hij zijn geweest wanneer hij met de nazi's zou hebben gemarcheerd want dat was de doorbraak de vervloekte afbraak van zijn generatie en nu was al zijn moeite aan de verdoemenis prijsgegeven aan de belachelijkheid van een grijs wordende jongeman hij was verslagen toen hij begon.*

En wat hij in de politiek verloor, wat hem werd afgedwongen en wat hij moest opgeven, dat verloor hij ook in de liefde, want politiek en liefde, ze waren allebei te laat tot hem gekomen, Elke hield van hem, maar hij reisde met het vrij-reizenkaartje van de parlementariër achter fantomen aan, het fantoom van de vrijheid, waarvoor men bang was en die men overliet aan de filosofen met onvruchtbare uiteenzettingen, en het fantoom van de mensenrechten, waarnaar alleen maar werd gevraagd wanneer men onrecht onderging, de problemen waren oneindig moeilijk, en men kon goed de moed verliezen. Keetenheuve voelde zich spoedig weer in de oppositie gedwongen, maar hij had geen zin meer in die eeuwige oppositie, want hij vroeg zich af: kan ik het veranderen, kan ik het verbeteren, weet ik de weg?

Hij wist hem niet. Elke beslissing ging gepaard met duizenden voors en tegens, het leken wel lianen, lianen van het oerwoud, de praktische politiek was een jungle, je kwam roofdieren tegen, je kon moedig zijn, je kon de duiven tegen de leeuwen verdedigen, maar achter je rug werd je door een slang gebeten. Overigens hadden de leeuwen van dit bos geen tanden en waren de duiven niet zo onschuldig als zij kirden, alleen het gif van de slangen was nog sterk en goed, en ze wisten ook op het juiste moment te doden. Hier baande hij zich een weg, hier doolde hij. En in het struikgewas vergat hij dat er een zon voor hem scheen, dat hem een wonder was overkomen, iemand hield van hem, Elke met haar mooie jonge huid, zij hield van hem. Kort waren de omhelzingen tussen twee treinen door, en hij verdween weer snel, een dwaze ridder tegen de macht die zo verbonden was met de oude oermachten dat ze kon lachen om de ridder die haar bestreed, en menigmaal versperde ze hem, bijna uit vriendelijkheid, om zijn moeite een doel te geven, de weg met een windmolen, goed genoeg voor de ouderwetse Don Quichotte, en Elke kwam thuis in een hel terecht, de hel van het alleen-zijn, de hel van de verveling, de hel van de onverschilligheid, de hel van de dagelijkse bioscoopbezoekjes, waar de duivel in een behaaglijke duisternis iemands leven ruilt tegen een pseudo-leven, de ziel door schaduwen wordt verdreven, de hel van de leegte, de hel van een kwellend ervaren eeuwigheid, de hel van het louter vegetatieve bestaan, dat de planten nog net kunnen verdragen zonder de hemel te verliezen. 'De zon? Een vergissing,' zei Elke bij zichzelf, 'het licht is zwart!' *En mooi was uiteindelijk enkel de jeugd de jeugd zij keert niet terug en die was afgebroken in mei met de zeis gemaaid en Keetenheuve een beste kerel hij hoorde bij de maaiers zij had geen schoolmeester gehad nu had ze een schoolmeester in Bonn en hij gaf haar geen huiswerk ze zou ook geen huiswerk maken hoe zou ze moeten het stadhouderskind gevangenen harkten het park*, en toen kwam Wanowski bij haar, Wanowski met haar brede gewatteerde schouders, een geperverteerde leidster van de nazistische vrouwenbond, Wanowski met haar groffe diepe bevelende stem *ze deed aan thuis denken ze was het ouderlijk huis wel merkwaardig anders geworden maar ze was het ouderlijk huis ze was de stem van de vader ze was de stem van de moeder ze leek op de bieravonden van de oud-strijders waarin de gouwleider opgedirkt naar boven gekomen onderdook als in een verjongend modderbad Wanowski zei 'kom kind' en Elke kwam,* ze kwam in de armen van de tribade, daar was warmte, daar was vergetelheid, daar was bescherming tegen de weidsheid, bescherming tegen de zon, bescherming tegen de eeuwigheid, daar werden eenvoudige woorden gesproken, geen abstracta uitgesproken, daar was niet de verschrikkelijke, de deprimerende, stromende, springende, sprankelende, nooit te vatten intellectualiteit van Keetenheuve *die haar had geroofd toen zij zwak was een schoolfrik hij een draak zij de prinses nu wreekte zij zich wreekte zich op Keetenheuve wreekte zich op de draak wreekte zich op de vader die niet had gewonnen en laf was gestorven en haar aan de draak overliet wreekte zich op dit vervloekte bestaan wreekte zich met de lesbische vrouwen zij waren de Helhonden van haar wraak*, ze wreekte zich niet alleen met Wanowski, want Wanowski bevredigde niet alleen, ze koppelde ook en ronselde volgelingen voor de onheilige dienst van de Vestaalse maagden, ze minachtte de mannen *slappelingen allemaal slappelingen slapjanussen gelukkig* dus kon ze de gewatteerde schouders laten zien, de strakke kont in de mannenbroek, de sigaar als laatste lid nog in de mond, ze zou de ten onrechte goed toegeruste onbekwame priapen graag helemaal de vrouw hebben ontnomen, een menseneter van geslachtsnijd, een boosaardig en dik geworden Penthesilea van de cafeetjes, die haar Achilles was misgelopen. Wat Wanowski Elke bood was een onweerstaanbare omkoping, was tweezaamheid en bier. Elke voelde zich niet meer verlaten wanneer Keetenheuve in Bonn verbleef. Ze dronk. Ze dronk met de verbitterde tribaden, die erop zaten te wachten dat Elke dronken werd. Ze dronk fles na fles. Ze bestelde het bier per telefoon, en het kwam in zogenaamde fusten, vierhoekige ijzeren flessenmanden, in huis. Wanneer Keetenheuve van de reis terugkwam, glipten de potten met een honende grijns als verzadigde ratten door de deur. Hij sloeg naar hen; ze glipten hun schuilplaatsen in. In de kamer stonk het naar vrouwenzweet, naar vruchteloze opwinding, zinloze afmatting en naar bier bier bier. Elke was maf van het bier, een idioot die lalde. Het speeksel druppelde uit de knappe, de roodgeschminkte, de beminnelijke mond. Ze lalde: 'Wat wil je hier?' Ze lalde: 'Ik haat je!' Ze lalde: 'Ik houd toch alleen maar van jou.' Ze lalde: 'Kom in bed.' *De zon was zwart.* Kon hij vechten? Hij kon niet vechten. De vrouwen zaten in de rattenholen. Ze bekeken hem. En in de Bondsregering zaten anderen – mannen – in hun schuilplaatsen, en ook zij bekeken hem. Hij boog zich over Elke's mond, de biergeest, Sint Spiritus, de flessenduivel kwam hem met haar ademtocht tegemoet, het vervulde hem met walging, en toch voelde hij zich aangetrokken, en ten slotte was hij het die aan deze zwakheid moest toegeven. 's Morgens verzoenden zij zich. Meestal was het een zondagmorgen. De klokken riepen ter kerke. Keetenheuve deed het niets dat de klokken riepen, hem riepen ze niet, en misschien betreurde hij het zelfs dat ze zich niet tot hem richtten, maar Elke had het gevoel dat elke uitnodiging haar dwingend opriep – iets absoluuts deed met het geluid van de klokken een sterk beroep op haar en zij verzette zich daartegen. Ze riep: 'Ik haat dat getingel. Het is gemeen om zo te tingelen.' Hij moest haar kalmeren. Ze huilde. Ze werd somber. Ze begon op God te schelden. Elke's God was een boosaardige God, een monster dat vol wellust kwelde. 'Er bestaat geen God,' zei Keetenheuve, en hij ontnam haar de laatste troost, het geloof aan een bloedige afgod. Ze zongen in bed kinderliedjes, zeiden aftelrijmpjes op. Hij hield van haar. Hij liet haar vallen. Hem was een mens overgedragen en hij liet die vallen. Hij reisde spinsels achterna, streed in de commissies voor nevelige mensenrechten, die niet bevochten werden, het was uiterst overbodig dat hij in de commissies ageerde, hij zou voor niemand iets bereiken, maar hij reisde ernaartoe en liet Elke, het enige wezen dat hem toevertrouwd, dat zijn opgave was, aan de wanhoop ten prooi vallen. De potten doodden haar. Het bier doodde haar. Er kwamen nog enkele verdovende middelen bij. Maar eigenlijk had de verlatenheid haar verstikt, een besef van eeuwigheid en niet-eeuwigheid, het heelal, zo eindig en zo oneindig, het heelal in zijn zwarte licht, met zijn zwarte onbegrijpelijke hemel voorbij alle sterren. *Keetenheuve schoolfrik,*

Keetenheuve meisjesrover, Keetenheuve draak uit de sage, Keeten-
heuve Possehl weduwnaar, Keetenheuve moralist en wellusteling,
Keetenheuve afgevaardigde, Keetenheuve ridder van de mensen-
rechten, Keetenheuve moordenaar
  In een krant het gelaat van de wijze een oude man een vriendelijk
gezicht onder sneeuwwit haar een figuur in een door tuinmannen
veel gedragen kloffie Einstein die op een dwaallicht jaagde en een
dwaallicht vond en de heldere mooie formule van de laatste verge-
lijking omheining van het inzicht harmonie van de sferen de unifor-
me veldtheorie van de natuurwetten van de zwaartekracht en van
de elektriciteit teruggebracht tot de gemeenschappelijke oorsprong
van de vergelijking IV
  Wagalaweia. Zacht, wordt gezegd, is de slaap der rechtvaar-
digen. Maar kan hij slapen? In de slaap kwamen de dromen die
geen dromen waren, angst en spookbeelden. In de trein oost-
westelijk neergevlijd, de gesloten ogen naar het westen gericht,
wat zou Keetenheuve hebben kunnen zien? De Saar, het mooie
Frankrijk, de Benelux-landen, de Europese Gemeenschap voor
Kolen en Staal. En wapendepots? Wapendepots. Men sloop om
de grenzen heen. Men wisselde nota's uit. Men sloot verdragen.
Men speelde weer. Het oude spel? Het oude spel. De Bondsrepubliek speelde mee. Men correspondeerde met de Amerikanen in Washington en zocht ruzie met de Amerikanen in Mann-
heim. De kanselier zat aan menig ronde tafel. Gelijkwaardig?
Gelijkwaardig. Wat lag achter hem? Verdedigingslinies, rivie-
ren. Verdediging langs de Rijn. Verdediging langs de Elbe. Verdediging langs de Oder. Aanval over de Weichsel. En verder?
Een oorlog. Graven. Vóór hem? Een nieuwe oorlog? Nieuwe
graven? Terugtocht op de Pyreneeën? De kaarten werden opnieuw geschud. Wie noemde de minister van Buitenlandse Zaken van een grote mogendheid een aangeklede aap? Een oude
rot uit de Wilhelmstraße. Hij voelde zich al weer bijna een grote
mogendheid, jakkerde de oude racebaan op, nu door de Ko-
blenzer Straße, de tong naar buiten, en aan het begin en aan het
einde, daar zaten Swinegel en diens vrouw. Op de Rijn vocht

een sleeptrein vermoeid tegen de stroom. In de nevel gleden de kolenaken als dode walvissen door het water.

Hier had de schat gelegen, onder de golven het goud, in een rotsholte, de verborgen schat. Hij werd geroofd, gestolen, verdonkeremaand, vervloekt. List, arglist, leugen, bedrog, moord, dapperheid, trouw, verraad en nevel in eeuwigheid, amen. Wagalaweia, zongen de dochters van de Rijn. Vertering, verrotting, stofwisseling en celvernieuwing, na zeven jaar was je een ander, maar op het veld van de herinnering lagen versteningen opgeslagen – hen bleef je trouw.

Wagalaweia. In Bayreuth zweefden de meisjes in schommels boven het toneel, glinsterende gratiën. Het schouwspel had de dictator opgefleurd, hij was er door en door warm van geworden, de hand boven het koppelslot, de erotische lok op zijn voorhoofd, de pet rechtgetrokken, uit bekrompt gebroed ontwikkelde zich verwoesting. En men ontving reeds de hoge commissarissen, met open armen, aan de borst, aan de borst! Tranen stroomden, tranen van ontroering, zoute beekjes van het weerzien en van het vergeven, grauw was de huid geworden, wat rood van de wangen stroomde met de tranen mee, en Wodans erfenis was weer gered.

Vlaggen bieden zich altijd aan, verfrommelde prostituees. De vlaggen te hijsen, is telkens plicht. *Ik hijs vandaag deze vlag en morgen de andere vlag ik vervul mijn plicht.* De vlaggen klapperen in de wind. O Hölderlin, wat klappert er zo? De rammelende frase, de holle knoken van de doden. De maatschappij hield het weer eens vol, verheven taken moesten uitgevoerd, het vermogen gered, voeling gehouden, het bezit beschermd worden, de aansluiting mocht niet verloren worden, want het erbijzijn is alles, in de creaties van de haute couture en in het gestreken rokkostuum en, wanneer het dan toch moet, met de marspas van de langschachtige laars. Kleren maken de man, maar keurig en strak zit alleen het uniform. Ze verleent grootsheid, ze geeft zekerheid. Keetenheuve gaf niets om uniformen. Gaf hij niets om grootsheid, niets om zekerheid?

Hij had gedroomd. In een onrustige slaap gevallen, had hij gedroomd dat hij op weg was naar een verkiezingsbijeenkomst. Het kleine station lag in een dal. Er was niemand op komen dagen om de afgevaardigden te begroeten. Vrij van voertuigen liepen de rails naar het oneindige. Naast de bielzen verdorde het gras. Distels omrankten de ballast. Vier heuvels vormden het oord, op de heuvels de katholieke dom, de protestantse kerk, het oorlogsmonument van onvruchtbaar graniet, het vakbondsgebouw liefdeloos en snel opgebouwd met ruw hout. De gebouwen stonden eenzaam als de Griekse tempels in het trieste landschap van Selinunt. Ze waren verleden, stof van de geschiedenis, Clio's verstarde leuze, geen mens bekommerde zich erom, maar hem was opgedragen een van de heuvels op te lopen, naar een van de plaatsen, aan te kloppen en te roepen: 'Ik geloof! Ik geloof!'

Hij had het heet. Iemand moest de verwarming in de wagon hebben aangedaan, ofschoon het een warme nacht was. Hij deed het licht aan. Hij keek op de klok. Het was vijf uur. De secondewijzer cirkelde rood over de wijzerplaat met de lichtgevende cijfers als een waarschuwing voor overdruk en explosiegevaar. Keetenheuve's tijd verliep. Ze verstreek lichtgevend, zoals te zien was, en zinloos, wat minder aan het licht kwam. De wielen van de trein voerden hem zinloos naar niet-verlichtende bestemmingen. Had hij zijn tijd benut? Benutte hij de dag? Loonde het de moeite? En was de vraag naar een tijd die loont niet alweer een uiting van menselijke perversie? 'Een doel is er alleen in de verdorvenheid,' had Rathenau overpeinsd, en zo voelde Keetenheuve zich verdorven. Hij had, ouder geworden, de gewaarwording nog helemaal niet goed op het spoor van de tijd te zijn gezet en toch al aan het eind van zijn levensweg te zijn. Er was zo veel gebeurd, dat hij meende dat hij altijd alleen maar was blijven staan en nooit was vooruitgekomen; de catastrofes die hij had meegemaakt, het turbulente wereldgebeuren, instortende en opkomende tijdperken, waarvan het avondvuur en morgenrood (wie wist het?) ook zijn gezicht kleurde en tekende, dit alles liet hem met zijn vijfenveertig jaar als een jongen achter die een roversfilm had gezien en zich de ogen uitwreef, idioot hoopvol, idioot teleurgesteld en idioot zondig. Hij stak zijn hand uit om de verwarming uit te doen; maar de handel stond boven het teken *koud*. Misschien moest de verwarming vanaf een verderweg liggende handel bestuurd worden, misschien bepaalde een hoofdconducteur de temperatuur in de wagon; misschien was er wel helemaal geen verwarming ingeschakeld, en was het alleen maar de nacht die Keetenheuve bedrukte. Hij ging achterover liggen op het kussen en deed zijn ogen weer dicht. Op de gang was geen beweging. De reizigers lagen in hun kooien, overgeleverd aan het vergeten.

En wanneer hij niet werd herkozen? Hij gruwde van de ellebogenpolitiek van de verkiezingsslag. Hij zag steeds meer op tegen bijeenkomsten, de lelijke uitgestrekte zalen, de dwang om door de microfoon te moeten spreken, het groteske zijn eigen stem in alle hoeken vervormd uit de luidsprekers te horen bulderen, een hol klinkende en voor Keetenheuve pijnlijk honende echo vanuit een walm van zweet, bier en tabak. Als spreker overtuigde hij niet. De massa voelde dat hij twijfelde en dat vergaf ze hem niet. Ze misten bij Keetenheuve's optreden het toneelspel van de fanaticus, de echte of de gespeelde woede, het berekende tieren, het schuim op de bek van de spreker, het vertrouwde patriottische smeersel dat zij kenden en steeds opnieuw weer wilden hebben. Kon Keetenheuve een voorvechter van het partijoptimisme zijn, kon hij de kroppen van de kolen in het afgebakende perk van de partijlijn naar de zon van het programma oriënteren? Frasen sprongen bij velen als kwakende kikkers uit de mond; maar Keetenheuve gruwde van kikkers.

Hij wilde herkozen worden. Inderdaad, dat wilden ze allemaal. Maar Keetenheuve wilde herkozen worden omdat hij zichzelf als een van de weinigen beschouwde die hun mandaat nog als een mogelijkheid zagen om de macht aan te klagen. Maar wat moest daarover gezegd worden? Moest hij de hoop schetsen, de aloude roos opdoen die voor elke verkiezing uit de kist werd gehaald zoals de boomversierselen bij Kerstmis (de partij wilde dat), de hoop dat alles beter werd, dit fata morgana voor de simpele zielen, dat na elk plebisciet in rook opgaat, alsof de stembiljetten in de schoorsteen van Hefaistos waren gegooid? Maar kon hij het zich veroorloven zichzelf niet aan te prijzen? Was hij een gezocht product, een ster van de politieke bios? De kiezers kenden hem niet. Hij deed wat hij kon doen, maar het meeste deed hij in de commissies, niet in de plenaire vergadering, en het werk van de commissies vond in het geheim plaats en niet voor de ogen van de natie. Korodin, van de andere partij, zijn tegenstander in de commissie voor verzoekschriften, noemde Keetenheuve een mensenrechtenromanticus, die vervolgden zocht, geknechten, om van hen de ketens af te nemen, mensen wie onrecht overkomt, Keetenheuve stond steeds aan de kant van de armen en de bijzondere gevallen, hij stond de ongeorganiseerden bij en nooit de kerken en kartels, maar ook de partijen niet, niet onvoorwaardelijk zelfs zijn eigen partij, en dat ontstemde zijn partijvrienden, en soms had Keetenheuve het idee dat Korodin, zijn tegenstander, hem uiteindelijk nog beter begreep dan de fractie waarmee hij zich had verbonden.

Keetenheuve lag uitgestrekt en recht onder het laken. Tot aan zijn kin toegedekt, leek hij op een mummie uit het oude Egypte. In de coupé hing museumlucht. Was Keetenheuve een museumstuk?

Hij beschouwde zichzelf als een lam. Maar hij wilde niet opzijgaan voor de wolven. Dit keer niet. Het was fataal dat hij lui was; lui, ook al werkte hij zestien uur per dag, en dat niet slecht. Hij was lui, omdat hij ongelovig, twijfelend, wanhopig, sceptisch was, en zijn ijverig en oprecht opkomen voor de mensenrechten was alleen nog maar een laatste eigenzinnig speels restant van oppositielust en verzet tegen de staat. Zijn ruggengraat was gebroken en het zou de wolven geen moeite kosten alles weer van hem weg te rukken. Wat kon Keetenheuve verder beginnen? Hij kon koken. Hij kon een kamer schoonmaken. Hij had de deugden van een huisvrouw. Moest hij zijn geweten laten spreken, artikelen schrijven, commentaren de ether insturen, een publieke Kassandra worden? Wie zou de artikelen drukken, wie de commentaren uitzenden, wie zal naar Kassandra luisteren? Moest hij revolutietje spelen? Wanneer hij er goed over nadacht zou hij liever koken. Misschien kon hij voor de monniken in een klooster de maaltijd bereiden. Korodin zou hem aanbevelen. Korodin was echtgenoot en vader, hij zou kleinkinderen krijgen, hij had zijn geloof, hij bezat een aanzienlijk vermogen en mooie aandelen, hij was een vriend van de bisschop en stond op goede voet met de kloosters.

Menigeen in de hoofdstad stond vroeg op. Het was vijf uur dertig. De wekker rinkelde. Frost-Forestier was tegelijk met het geluid wakker. Uit geen droom, uit geen omhelzing hoefde hij zich los te maken, geen nachtmerrie had hem gekweld, geen mis riep hem, hij was niet in angst verstrikt.

Frost-Forestier deed het licht aan, en het werd licht in een enorme ruimte, een schitterende feestzaal uit de negentiende eeuw met een gestuct plafond en gedraaide pilaren, dit was Frost-Forestiers slaapkamer, eetzaal, werkkamer, salon, keuken, laboratorium, badkamer. Keetenheuve herinnerde zich de zware gordijnen voor de hoge ramen, ze waren generaalsrood en vormden, voortdurend gesloten, een muur van vuur tegen de natuur. Zachtjes was alleen het tjilpen te horen, het jubelend zingen, het ontwaken van de vogels buiten in het park, en wat in de zaal plaatsvond was het begin van de arbeid in een fabriek, het aanzwengelen van een lopende band, een opeenvolging van uitgekiende, weloverwogen bewegingen, rationeel en precies, en Frost-Forestier was het werk dat op gang werd gebracht. Hij probeerde de elektronische hersenen te evenaren.

Wat een geknip en geschakel! Een grote radiokast sprak berichten uit Moskou. Een kleine broer van de grote gloeide en wachtte op zijn beurt. Een koffiezetapparaat werd heet. Uit de boiler stortte het water de douche in. Frost-Forestier ging onder de straal staan. Het plastic gordijn van de douchecabine bleef opzijgeschoven. Frost-Forestier had onder het douchen geen oog voor zijn strategisch terrein. Het stroomde warm en koud over hem heen. Hij was een getrainde, een geproportioneerde man. Hij droogde zichzelf krachtig af met een ruwe olijfgroene handdoek van Amerikaanse makelij, een naakte man op een leeg kazerneplein. Zijn huid werd rood. In Moskou niets nieuws. Oproepen aan het sovjetvolk. Frost-Forestier zette de muzen in, deed muziek aan. Naast de doucheruimte was een rek. Frost-Forestier nam een uitgangspositie in; schone handen op schone dijen. Hij sprong op het rek, opzwaai en afsprong. Hij stond weer in de uitgangspositie. Zijn gezicht stond ernstig. Zijn geslacht hing rustig, goedgeproportioneerd tussen de getrainde benen. De stekker van het elektrisch scheerapparaat werd in het stopcontact gestoken. Frost-Forestier scheerde zich onder een zacht gezoem. In de grote radio waren storingen. Frost-Forestier deed de grote radio uit. Het inzetten van de muzen was voorbij. Hij nam een dot watten en depte met een scherp brandend scheerwater zijn gezicht. De dot watten verdween onder de octrooideksel van een hygiënische emmer. In het gezicht kwamen een paar blaasjes tevoorschijn. Hij trok een kamerjas over zijn lichaam, een haren kleed; hij knoopte hem met een rode ceintuur dicht. Het uur van de kleine radio was aangebroken. Deze knetterde en zei: 'Dora heeft luiers nodig.' Frost-Forestier luisterde scherp. De kleine radio herhaalde: 'Dora heeft luiers nodig.' Meer had de kleine radio niet te zeggen.

Het koffiezetapparaat trilde en dampte. Een fluittoon ijlde door haar fluitmond, de fabriekssirene kondigde het begin van de arbeidstijd aan. Frost-Forestier liet de koffie in de beker stromen. De beker was van oud Pruisisch porselein, een sierbeker voor vriendelijke verzamelaars. Keetenheuve kende de beker, het oor ervan was afgebroken. Frost-Forestier verbrandde zijn vingers toen hij de gevulde beker vastpakte. Ook toen Keetenheuve bij hem was, had Frost-Forestier zijn vingers aan de beker verbrand. Hij verbrandde elke ochtend zijn vingers. Op de beker was een bonte afbeelding van Frederik de Grote te zien. De koning keek met de uitdrukking van een melancholieke windhond vanaf zijn beker de kamer in. Frost-Forestier pakte een papieren zakdoek, legde dat om het porselein en de koning en slurpte nu eindelijk zijn hete zwarte ochtenddrank. In totaal was er nog geen kwartier verlopen sinds de wekker was afgegaan. Frost-Forestier opende het combinatieslot van een brandkast, Keetenheuve moest om deze kast lachen. De kast was een buitenkansje voor nieuwsgierigen. Documenten, akten, levenslopen, brieven, plannen, films en geluidsbanden lagen hier te wachten *wat heerlijk geurde voor de knaap het ingemaakte in de kast van de oude tante*, en menigeen zou er graag wat uitgehaald hebben. Op de tafel van ruw hout, een lange plank die op vier schragen rustte, stonden bandrecorders. Ook lag er een zeer kleine en een wat grotere fotocamera op. Dieventuig! Je stal het ding niet meer, dat bleef op haar plaats, je stal haar schaduw. Ook de stem van de mens kon je stelen.

Keetenheuve liet altijd zo veel rondslingeren. Hij was slordig. Frost-Forestier, een man op een politieke positie, ging aan het bureau zitten. Hij begon te denken, hij begon te werken. Drie uren lagen voor hem, drie ongestoorde uren, de belangrijkste van de dag, hij concentreerde zich, hij verzette veel werk. Hij deed een band in de magnetofoon en schakelde op weergave. Hij hoorde zijn eigen stem en een andere stem uit de magnetofoon spreken. Vol overgave, verdiept luisterde Frost-Forestier naar de stemmen. Af en toe zetten ze hem tot een notitie aan. Frost-Forestier had rode, groene en blauwe schriften. Hij schreef een naam op een bladzijde. Was het Keetenheuve's naam? Frost-Forestier onderstreepte de naam. Hij onderstreepte hem met de rode pen.

Generaal Yorck sloot de conferentie van Tauroggen af. Zijn koning rehabiliteerde hem. Generaal Scharnhorst rekruteerde. Generaal Gneisenau hervormde. Generaal Seeckt overwoog dat uit het oosten het licht komt. Generaal Tuchatschewski wilde het tapijt van de wereld oprollen. Generaal de Gaulle was voor tanks, er werd niet naar hem geluisterd en hij had gelijk. Generaal Speidel reisde naar zijn geallieerde collega's. Generaal

Paulus zat nog steeds in Rusland. Generaal Jodl lag in zijn graf. Generaal Eisenhower was president. Wie was de grote informator van de *Rote Kapelle*? Frost-Forestier herinnerde zich graag zijn werkzaamheden in de OKH. Hij hield van soldatenuitdrukkingen. Hij zei een keer tegen Keetenheuve: 'Ik voel het aan mijn water.' Wat voelde hij aan zijn water? Dat ze elkaar zouden ontmoeten?

De morgen drong door het rolgordijn. Keetenheuve tilde de deken op. Tocht ging langs hem *Freud of het onbehagen in de cultuur. In het Berlijnse café bediscussieerde men de scholen van de psychoanalitici. Tulpe was communist. Keetenheuve was burger. Het was de tijd dat burgers en communisten nog met elkaar spraken. Goed zo. Zinloos. Tevergeefs. Met blindheid geslagen? Met blindheid geslagen.* Het was Erich, die Keetenheuve naar een vakbondsgebouw had gebracht. Erich wilde hem voor iets uitnodigen, en Keetenheuve moest de uitnodiging aannemen, ofschoon hij geen honger had. Een kleine afgetobde man met een grote snor, die voor zijn ingevallen gezicht te machtig was om respect af te dwingen, bracht hun zwartverbrande aardappelkoekjes en priklimonade, die smaakte naar nagemaakte pudding. Toen Keetenheuve de koekjes had gegeten en de limonade had gedronken, voelde hij zich revolutionair. Hij was jong. De stad was klein, stompzinnig, bekrompen, en het vakbondsgebouw werd beschouwd als een vesting van oproer. Maar het kwam nooit tot de opstand waarvan de knapen droomden, nooit, nooit, nooit, wat bleef en steeds terugkeerde, waren de zwartverbrande aardappelkoekjes van de armoede, was de matroze drank van de evolutie, een limonade van synthetische sappen, opborrelend wanneer je de fles openmaakte, en opboerend wanneer je hem had gedronken. Erich was omgekomen. In de kleine stad had men later een straat naar hem genoemd; maar de mensen, stompzinnig, bekrompen, vergeetachtig als eeuwig en altijd, bleven de steeg de *Kurze Reihe* noemen. Keetenheuve vroeg zich steeds opnieuw af of Erich werkelijk voor zijn overtuiging was gestorven, want hij moest het geloof van zijn jeugd toen al hebben verloren. Maar misschien had Erich zich op het moment van zijn dood weer aan deze hoop vastgeklampt, en dat enkel omdat de mensen van de kleine steden in die dagen zo verschrikkelijk waren. De wetteloosheid had Erich in beweging gebracht, maar het was de afkeer die hem doodde.

Keetenheuve deed de deksel van de wasbak omhoog, water stroomde in het bekken, hij kon zich wassen, kon de reiniging van Pontius Pilatus ter hand nemen, weer eens, weer eens opnieuw, zeker, hij was onschuldig, geheel onschuldig aan 's werelds loop, maar juist omdat hij onschuldig was, werd hij geconfronteerd met de oeroude vraag, wat is onschuld, wat waarheid, o oude stadhouder van Augustus. Hij zag zichzelf in de spiegel.

De ogen, zonder bril, keken goedmoedig, en een goedmoedige sukkel had de collega van het *Volksblad* hem genoemd, op de laatste avond, toen hij hem voor de laatste keer zag. Dat was twintig jaar geleden, op de dag dat de commissaris bij het *Volksblad* zijn intrek nam. De joodse redacteuren vlogen er meteen uit, intelligente mensen, bedreven schrijvers van hoofdartikelen, uitstekende stilisten, die alles verkeerd hadden voorzien, alles verkeerd hadden gedaan, argeloze kalveren binnen de afrastering van het slachthuis; de anderen kregen de kans hun waarde te bewijzen. Keetenheuve zag daar van af. Hij haalde zijn salaris en vertrok naar Parijs. Hij vertrok vrijwillig en niemand hield hem tegen. In Parijs vroeg men verbaasd: wat wilt u eigenlijk bij ons? Pas toen de soldaten over de Champs-Élysées marcheerden, zou Keetenheuve het duidelijk hebben kunnen maken. Maar toen was hij op weg naar Canada; samen met Duitse joden, samen met Duitse antifascisten, Duitse nationaal-socialisten, jonge Duitse piloten, Duitse zeelieden en Duitse handelsbedienden voer hij diep beneden in de buik van een schip van Engeland naar Canada. De commandant van de stoomboot was een rechtvaardig man; hij haatte hen allemaal evenveel. En nu was het Keetenheuve die zich afvroeg: wat wil ik hier, wat doe ik hier, alleen niet meedoen, alleen mijn handen in onschuld wassen, is dat genoeg?

Keetenheuve's hoofd zat daar waar het hoorde, geen valbijl had het van de romp gescheiden. Pleitte dat tegen Keetenheuve, of pleitte het, zoals sommigen meenden, tegen de beulenvakbond op de wereld? Keetenheuve had veel vijanden en er was geen verraad waarvan men hem niet beschuldigde. Zo zou George Grosz mij geschilderd hebben, dacht hij. Zijn gezicht had nu wel erg de uitdrukking van de heersende klasse. Hij was de trouwe afgevaardigde van de kanselier en vol toewijding in de oppositie; ach ja, vol toewijding.

Halfnaakt van een manager – zo gaf de spiegel hem weer. Spiegeltje, spiegeltje aan de wand, vlezig was hij nu, de spieren ongeoefend, de huid glansde wit met een blauwe ondertoon als magere melk in de oorlogen, afgeroomde verse melk werd het genoemd, o wat een mooi woord uit het staatseufemisme, men behoorde tot de gematigden, men schikte zich, men paste zich aan, men kwam op voor behoedzame hervormingen in het kader van de traditie, men had storingen in de bloedsomloop en was wellustig *(kiss me) you will go*. Hij was een forse man. Hij verplaatste meer lucht dan hij ooit had verwacht. Wat voor geur hing er om hem heen? Lavendelwater, een herinnering aan het empire, de lange tochten van het hier-is-Engeland *(kiss me) you will go*. Keetenheuve was geen gewone verschijning in de parlementaire elite. Dat kon hij alleen al met die ogen niet zijn; die waren gewoon te goedmoedig. Wie wilde voor goedmoedig worden uitgemaakt en een sukkel worden genoemd? En dan de mond – die was te smal, te gesloten *schoolfrik schoolfrik* die was niet spraakzaam, die verontrustte, en zo was Keetenheuve nooit helemaal ontraadseld; 'he was a handsome man and what i want to know is how do you like your blueeyed boy Mister Death.' Keetenheuve was een kenner en liefhebber van de hedendaagse lyriek, en soms amuseerde het hem wanneer hij in de plenaire vergadering naar een spreker luisterde te bedenken wie er in de zaal buiten hem Cummings gelezen kon hebben. Daarin verschilde Keetenheuve van de fractie, dat hield hem jong en maakte hem ongeschikt wanneer het erom ging onverbiddelijk te zijn. De dunne tijdschriften, opgericht verdwenen, de bladen, gewijd aan de dichtkunst, lagen overhoop met de dossiers in Keetenheuve's tas, vreemd genoeg, ja waarlijk vreemd, de gedichten van de experimentele dichter E. E. Cummings schuurden in de aktentas van een Duitse Bondsdagafgevaardigde de gekleurde kartonnen van de opbergmappen *Vertrouwelijk, Dringend, Geheim (kiss me) you will go*

Keetenheuve liep de gang op. Vele wegen leidden naar de hoofdstad. Langs vele wegen werd naar de macht en naar de mooie baantjes gereisd.

Ze kwamen allemaal, afgevaardigden, politici, ambtenaren, journalisten, partijzwoegers en partijoprichters, de belangenbehartigers bij tientallen, de syndici, de reclamechefs, de jobbers, de omkopers en de omgekochten, vos, wolf en schaap van de inlichtingendiensten, nieuwsbrengers en nieuwsverzinners, al de obscure figuren, de louche figuren, de samenzweerders, de partizaanwaanzinnigen, allen die geld wilden hebben, de geniale filmers te *Heidelberg aan de Rijn op de heide in de badkuip voor Duitsland bij de Drakensteen*, de klaplopers, zwendelaars, zeurkousen, baantjesjagers, ook Michael Kohlhaas zat in de trein en alchemist Cagliostro, veemmoordenaar Hagen snuffelde in het morgenrood, Kriemhild had pensioenrechten, het gespuis van de lobby loerde en luisterde, generaals nog in het tenue van Lodenfrey marcheerden ter hergebruik op, veel ratten, veel opgejaagde honden en veel geplukte vogels, ze hadden hun vrouwen bezocht, hun vrouwen bemind, hun vrouwen gedood, ze hadden hun kinderen meegenomen naar de ijssalon, ze hadden naar de voetbalwedstrijd gekeken, ze hadden in kazuifel de priester een handje geholpen, ze hadden diaconessendiensten verricht, ze waren door hun opdrachtgevers uitgescholden, door mannen achter hun schermen opgejaagd, ze hadden een plan ontworpen, een marsroute uitgezet, ze wilden een kraak zetten, ze maakten nog een plan, ze hadden aan de wet gewerkt, in hun kieskring gesproken, ze wilden boven blijven, aan de macht blijven, bij het geld blijven, ze begaven zich naar de hoofdstad, de hoofdstad de provinciestad, waarmee ze de spot dreven, en ze begrepen niet het woord van de dichter, dat de ware hoofdstad van elk rijk niet achter aarden wallen ligt en niet te veroveren is.

Vrij spel voor de volksvertegenwoordiger, spot uit de goedkoopste dumpwinkels, al in de tijd van de keizer met baard verkocht *een luitenant en tien man Duitsland ontwaak op de latrine geschreven*, men zag door de hele baard de grap niet meer. Wat bedoelde het volk, en wie was dat eigenlijk, het volk, wie was het in de trein, wie op straat, wie op de stations, was het de vrouw die nu in Remagen de bedden uithing, geboortebedden copulatiebedden sterfbedden, granaatscherven hadden het huis getroffen, was het de maagd met de melkemmer die naar de stal waggelde, zo vroeg al op zo vroeg al moe, was hij, Keetenheuve, het volk? Hij verzette zich tegen de simplificerende pluralis. Wat zei dat eigenlijk, het volk, was het een kudde, te scheren, te verjagen, te leiden, bestond het uit groepen die al naargelang de behoefte en de spreektrant van de plannenmakers in waren te zetten, in het strijdperk te gooien, het graf in te jagen, de Duitse jongen ingezet, het Duitse meisje ingezet, of waren miljoenen afzonderlijke individuen het volk, wezens ieder voor zich, die voor zichzelf dachten, die zelf dachten, die zich van elkaar wegdachten, uit elkaar dachten, naar God toe dachten, naar het niets toe of de waanzin in, die niet te sturen, niet te regeren, niet in te zetten, niet te scheren waren? Keetenheuve had dat liever gehad. Hij was lid van een partij die het op de meerderheid hield. Wat bedoelde het volk dus? Het volk werkte, het volk betaalde de staat, het volk wilde van de staat leven, het volk schold, het volk sloeg zich er zo doorheen.

Het sprak weinig over zijn gedeputeerden. Het volk was niet zo braaf als het volk in het schoolboek. Het vatte de paragraaf staatsburgerschap anders op dan de schrijvers. Het volk was jaloers. Het misgunde de afgevaardigden de titel, de zetel, de onschendbaarheid, de presentiegelden, het gratis reizen. Waardigheid van het parlement? Gelach in de cafés, gelach op straat. De luidsprekers hadden het parlement in de kamers van het volk verlaagd, te lang, te gewillig was de volksvertegenwoordiging een zangvereniging geweest, een onnozel koor achter de solo van de dictator. Het aanzien van de democratie was gering. Ze bracht geen enthousiasme teweeg. En het aanzien van de dictatuur? Het volk zweeg. Zweeg het in aanhoudende angst? Zweeg het in aanhankelijke liefde? De gezworenen spraken de mannen van de dictatuur vrij van elke aanklacht. En Keetenheuve? Hij diende de restauratie en reisde in de Nibelungenexpres.

Niet alle afgevaardigden reisden in het spoorwegbed. Anderen kwamen met de auto naar de hoofdstad gereden, brachten het kilometergeld in rekening en voeren daar wel bij; ze waren de toffe jongens. Op de Rheinstraße stoven de zwarte mercedessen langs het water stroomafwaarts. Stroomafwaarts het slijk, stroomafwaarts het drijfhout, stroomafwaarts bacteriën en drek en het loog van de industrie. De heren zaten onderuitgezakt naast hun chauffeurs, achter hun chauffeurs, ze waren ingedut. Het gezin had veel van iemand gevergd. Lichaamafwaarts, onder de overjas, de colbert, het hemd, liep het zweet. Zweet van de uitputting, zweet van de herinnering, zweet van de sluimer, zweet van het sterven, zweet van de wedergeboorte, zweet van het waarnaartoegeredenworden en wie weet waarnaartoe, zweet van pure, van louter angst. De chauffeur kende de weg en haatte de streek. De chauffeur kon Lorkowski heten en uit Masuren komen. Hij kwam uit de dennenbossen; daar lagen doden. Hij dacht aan de meren in de bossen; daar lagen doden. De afgevaardigde had hart voor de verdrevenen. Het moet hier nu mooi zijn, dacht Lorkowski, ik heb toch schijt aan de Rijn. *Hij had schijt aan de Rijn, Lorkowski, afgevaardigdenchauffeur uit Masuren, Lorkowski, lijkenchauffeur uit het gevangenenkamp, Lorkowski ambulancechauffeur van Stalingrad, Lorkowski, NSKK-chauffeur uit Kraftdurchfreude-dagen, schijt aan alles, lijken afgevaardigden en verminkten hetzelfde vrachtje, schijt aan alles, hij had niet alleen schijt aan de Rijn.*

'Schatje.'

De belangenbehartiger verliet het toilet, schudde aan zijn broekspijp, niets menselijks was hem vreemd. Hij liep naar de andere belangenbehartigers in de voorhal van de wagon, een man onder mannen.

'Beetje bleek is ze.'

'Geeft niets.'

'Platgeschud, platgerukt, platgerold.'

'Te lang onder gelegen.'

Wagalaweia.

Het meisje kwam met een wapperend gewaad, engel van de rails, een nachtengel, met een wapperend nachtgewaad, spitsen schampten de stof snot en smeer van de geverniste gang, borstspitsen, ronde knoppen schuurden de gewaadspitsen, de voeten trippelden in sierlijke pantoffeltjes, bandengesnoer, *de voeten van Salome die op kleine witte duiven lijken*, de teennagels glanzen rood, slaapdronken was het kind, humeurig, chagrijnig, veel meisjes hadden een chagrijnige uitdrukking in het knappe poppengezicht, het was mode bij de meisjes chagrijnig te zijn, in de keel kriebelde de rokershoest, de mannen keken toe hoe het meisje trippelend, gelakt, hoogbenig, knap en chagrijnig naar een zekere plaats ging. Parfum kietelde de neuzen en vermengde zich achter de deur met de scherpe uitstroom van door de belangenbehartiger 's avonds genoten bokbiertjes – hij kon niet van de drank afblijven.

'Mooi valiesje heeft u daar. Echte diplomatenkoffer. Als nieuw uit BZ. Zwartroodgouden strepen.'

'Zwartroodmosterd, zeiden we vroeger.'

Wagalaweia.

De Rijn slingerde nu, een kronkelende, zilveren band, door lage oevers. In de verte rezen uit de ochtendnevel bergen op. Keetenheuve ademde de zachte lucht in, en hij voelde al hoe ze hem bedroefd maakte. VVV's, toeristenlokbedrijven noemden het land de Rivièra aan de Rijn. Een broeikasklimaat gedijde in het keteldal tussen de bergen; de lucht pakte zich samen boven de rivier en zijn oevers. Villa's stonden aan het water, rozen werden gekweekt, de welgesteldheid schreed met de heggenschaar door het park, knisperend grind onder de lichte bejaarden-schoen, Keetenheuve zou daar nooit bijhoren, nooit hier een huis hebben, nooit rozen snoeien, nooit de snijrozen, de adellij-ke, de rosa indica, hij dacht aan de wondroos, erysipelas trauma-ticum, gebedsgenezers waren aan het werk, Duitsland was een grote openbare broeikas, Keetenheuve zag vreemde flora's, gul-zige, vleesetende planten, reuzenfallussen, als schoorstenen vol smeulende rook, blauwgroen, roodgeel, giftig, maar het was een overvloed zonder kracht en jeugd, alles was aangetast, alles was oud, de ledematen zwollen op, maar het was een elephantiasis arabum. Bezet, stond op de klink, en achter de deur piste het meisje, knap en chagrijnig, op de bielzen.

Jonathan Swift, deken van St. Patrick tot Dublin, was tussen Stella en Vanessa gaan zitten en was verontwaardigd dat ze li-chamen hadden. Keetenheuve had in het oude Berlijn dokter For-elle gekend. Forelle had een ziekenfondspraktijk in een huur-kazerne aan het Wedding. Hij had een hekel aan de lichamen, werkte al tientallen jaren aan een psychoanalytische studie over Swift en deed 's avonds watten om zijn huisbel om maar niet bij een geboorte te worden geroepen. Nu lag hij met alle veraf-schuwde lichamen tezamen onder de puinhopen van de huur-kazerne. De belangenbehartigers met geleegde blazen, bevrijde levenslustige darmen snaterden, snotterden, ze waren zeker van hun eetlust.

'Gaat u maar naar Hanke. Hanke was altijd al in de RWM. Zeg hem dat u van mij komt.'

'Kan hem tenslotte geen gekookte worst aanbieden.'

'Eten in Royal. Driehonderd. Maar echt eersteklas. Is altijd lonend.'

'Anders zegt u maar tegen Hanke dat wij het artikel dan niet meer kunnen maken.'

'De minister moet toch voor de borgsom zorgen. Waar is hij anders voor?'

'Plischer zat bij mij in de vakgroep.'

'Dan reken ik op Plischer.'

'Zwakke knie.'

Wagalaweia.

Het meisje, knap en chagrijnig, trippelde naar bed terug. Het meisje, knap en chagrijnig, moest naar Düsseldorf, het kon nog een keer in bed kruipen, en de geilheid van de mannen glipte met haar, de knappe en chagrijnige, onder de deken. De geilheid verwarmde. Het meisje was in de mode werkzaam, mannequinkoningin van een of andere verkiezing. Het meisje was arm en leefde, niet slecht, van de rijken. Von Timborn deed de deur van zijn coupé open, Von Timborn goedgeschoren, Von Timborn correct, Von Timborn nu al zoals in Downing Street gevolmachtigd.

'Goedenmorgen, meneer Keetenheuve.'

Waar kende hij hem van? Van een banket met de buitenlandse pers. Men bracht een toost uit op elkaar en loerde naar elkaar. Keetenheuve herinnerde zich niet. Hij wist niet wie hem aansprak. Hij knikte ter begroeting. Maar de heer Von Timborn had een prijzenswaardig goed geheugen voor personen, en hij trainde dat omwille van zijn carrière. Hij zette zijn koffer op het rooster van de verwarming in de gang. Hij observeerde Keetenheuve. Timborn schoof zijn lip iets naar voren, een snuffelend konijntje in het klaver. De afgevaardigde was misschien slapenderwijs heer. Het konijntje hoorde niet het gras groeien, maar het fluisteren op kantoor. Keetenheuve draaide slecht mee, hij was niet te sturen, hij was lastig, hij gaf aanstoot, hij was in zijn fractie het enfant terrible, zoiets pakte over het algemeen slecht voor iemand uit, kon iemand schade berokkenen, voor Timborn zou het alle hoop de grond in hebben geboord, maar deze buitenstaanders, je kon het nooit weten, die maakten hun fortuin met hun fouten. Er waren mooie baantjes, makkelijke baantjes, overheidsbaantjes, parkeerbaantjes, ver van Madrid, en Timborn was weer eens bij de neus genomen, sjokkend op het smalle pad niet zozeer van de deugd, maar van de bevordering, stap voor stap, trede voor trede, omhoog of omlaag, dat wist je in deze tijd niet zo precies, maar toch, je zat weer in het centrum, acht jaar geleden zat je in Neurenberg, acht jaar daarvoor had je ook in Neurenberg gezeten, toen op de tribune, de Neurenberger wetten werden openbaar gemaakt, de eerste, maar toch, de rampenverzekering op basis van wederkerigheid functioneerde, je was weer in functie, en alles was mogelijk, en veel kon gebeuren. En wanneer de heer Keetenheuve nu op de verkiezingen rekende, misschien een portefeuille verwachtte? Dan zou Keetenheuve tegenstribbelen. Wat dom – Ghandi melkte zijn geiten niet meer. Keetenheuve en Ghandi, ze zouden hand in hand langs de Ganges hebben kunnen wandelen. Ghandi zou een magneet voor Keetenheuve zijn geweest. Timborn trok zijn lip weer in en keek dromend over de Rijn. Hij zag Keetenheuve onder palmen – geen goed figuur. Timborn zou het tropenpak beter staan. De weg naar India lag open. Alexander doodde zijn vriend met de speer.

De trein stopte in Godesberg. De heer Von Timborn nam zijn hoed even af, de correcte, geklede mister-Eden-vilthoed. In Godesberg woonden de chique mensen, de broederschap van het protocol. De heer Von Timborn liep veerkrachtig over het perron. De machinist vloekte. Wat een traject was dat! Stoom geven en stoom verminderen. Uiteindelijk reed hij een expres. Door Godesberg en Bonn was je vroeger heengeraasd. Nu stopte je. De belangenbehartigers blokkeerden de deur. Het waren elleboogridders en de eersten in de hoofdstad. Schoolkinderen liepen de tunneltrap op. Je rook de provincie, het muffe van de nauwe steegjes, verknoeide kamers, oude tapijten. Het perron was overkapt en troosteloos –

en daar voor de controle, in de kale hal, hij betrad de hoofdstad, jaag hem op, grijp hem, o god Apollo o, daar pakten ze hem weer, maakten zich van hem meester, stortten zich op hem, daar werd hij duizelig en benauwd, een hartkramp schoot door hem heen, en een ijzeren ring trok om zijn borst, werd vastgesmeed, werd gelast, vastgeklonken, elke stap smeedde, klonk mee, het neerkomen van zijn nu stijve benen, zijn nu dode voeten leek op een hamerslag, het vast-

klinken in een wrak hamerde op een werf van een duivel, en zo liep hij, stap voor stap (waar was een bank om te gaan zitten? een muur om zich aan vast te klampen?), liep, ofschoon hij dacht niet meer te kunnen lopen, naar een houvast wilde hij grijpen, ofschoon hij ook weer niet zijn hand naar een houvast uit durfde te steken, leegte, zijn schedel stroomde vol met leegte, die drukte, steeg op als in een al te verre, verdwijnende, afscheidnemende de aarde verlatende hoogte de druk van binnenuit in een ballon, maar als in een ballon die was gevuld met het zuiverste niets, een niet-stof, een onstof, iets onbegrijpelijks, dat de drang had toe te nemen, dat uit botten en huid wilde dringen, en hij hoorde al, hij hoorde nog voor het zover was, hij hoorde als een ijzige wind het scheuren van de zijde, en dit was het extreme ogenblik, een onzichtbare, zelfs in het geheimschrift van de mathematica niet meer aan te duiden markeringsteken, waar alles ophield, er was geen verder, en hier was de verklaring, zie!, zie!, je zult zien, vraag!, vraag!, je zult horen, en hij sloeg de ogen neer, laf, laf, laf, gesloten bleef de mond, arm, arm, arm, en hij klampte zich vast, klampte zich stevig aan zichzelf vast, en de ballon was een teleurstellend vuil omhulsel, hij stond daar in al zijn naaktheid, en toen begon de val. Hij liet het treinkaartje zien, en hij had het gevoel dat de controleur hem naakt zag, zoals de gevangenisbewaarders en opperwachtmeesters de aan hen overgeleverde mens zien voordat deze wordt gekleed voor zijn hechtenis en sterven.

Zweet stond op zijn voorhoofd. Hij liep naar de krantenkiosk. De zon was op bezoek, kwam door een raam en wierp zijn spectrum over de laatste berichten, over het Gutenbergbeeld van de wereld, het was een iriserend, een ironisch flikkeren. Keetenheuve kocht de ochtendbladen. *Geen ontmoeting met de Russen.* Natuurlijk niet. Wie wilde wie ontmoeten of niet ontmoeten? En wie kwam er nu aangerend wanneer hij gefloten werd? Wie was een hond? Een klacht tegen de grondwet – was men het niet met elkaar eens? Wie kon niet lezen? De grondwet was in elkaar gezet. Had men spijt van de moeite? Wat gebeurde er in Mehlem? De Hoge Commissaris was op de Zugspitze geweest. Hij had een prachtig uitzicht gehad. De kanselier was wat ziekjes, maar hij deed zijn plicht. Zeven uur in de morgen – hij zat al aan zijn bureau. In Bonn werkte niet alleen Frost-Forestier. Keetenheuve was nog niet over zijn benauwdheid heen. De grote zaal van het stationsrestaurant was gesloten. Keetenheuve liep naar het zijvertrek, schoolkinderen zaten aan de ronde tafel, saai geklede meisjes, jongens die al ambtenarengezichten hadden, stiekem rookten, ook zij waren ijverig, net als de kanselier, hadden boeken opengeslagen, leerden, werkten hard (net als de kanselier?), een jeugd met een verbeten gezicht, wat als verstandig gold, wat gericht was op succes, stuurde hun hart, ze dachten aan het lesrooster en niet aan de sterren. De serveerster had het gevoel dat je hier vleugels moest hebben, Keetenheuve zag haar zweven, een bot met vleugels, het bedrijf was niet opgewassen tegen de drukte, tegen het uitspuwsel van de grote treinen, de belangenbehartigers scholden, waar bleven hun eieren, Keetenheuve bestelde een licht biertje. Hij had een hekel aan bier, maar de bitter prikkelende drank bracht zijn hart dit keer tot bedaren. Keetenheuve sloeg de krantenpagina met het plaatselijk nieuws op. Wat was er voor nieuws in Bonn? Hij was de gast in het kuuroord, die, al te lang naar een troosteloze badplaats verbannen, tenslotte naar het dorpsgeroddel luistert. Sophie Mergentheim had zich tot welzijn van de vluchtelingen met water laten besproeien. Kijk, haar lukte het altijd. Tijdens een ontvangst voor god-weet-wie was ze vrijgevig onder de gieter gaan staan. Sophie, Sophia, eerzuchtige gans, ze redde het Capitol niet. Wie betaalde, mocht sproeien. Mooie tulpen. De krant bracht de foto van Sophie Mergentheim, nat in de doorweekte avondjurk, tot in het slipje nat, nat tot op de geurbesprenkelde, de poederbestrooide huid. Collega Mergentheim stond achter de microfoon en staarde door zijn dikke, zwarte hoornen bril moedig in het flitslicht. Toon me je oehoe! *Niets nieuws in Insterburg. Een hond heeft geblaft.* Mergentheim was specialist in joodse moppen; voor het oude *Volksblad* had hij de humor van de dag geredigeerd. *Wat, wie blafte in Insterburg?*

Gisteren? Vandaag? Wie blafte? Joden? Zwijgen. Hondenmop. In de bioscoop – Willy Birgel rijdt voor Duitsland. *Het weerzinwekkende schuim van het bier op de lippen. Elke, een naam uit de noordse mythologie. De Nornen Urd, Verdandi en Skuld onder de boom Yggdrasil. Glimmend gewreven laarzen. De dood in capsules. Bier boven een graf.*

2

Korodin stapte bij het station uit de tram. Een politieagent speelde politieagent in Berlijn op de Potsdamer Platz. Hij gaf de Bonner Straße vrij. Het krioelde, het zoemde, piepte, rinkelde. Auto's, fietsers, voetgangers, astmagekwelde trams stevenden uit nauwe stegen het stationsplein op. Hier hadden equipages getaxied, vierspannen, door koninklijke koetsiers gemend, prins Wilhelm was naar de universiteit en zo een paar meter dichter naar het Hollands asiel gereden, hij droeg een jacquet, de corpsband van de Saxoborussen en hun witte studentenpet. Het verkeer vormde een kluwen, door schuttingen, kabelgreppels, rioolbuizen, betonmolens, teerketels bedreigd en gehinderd. Het kluwen, het labyrint, de knoop, het verstrengelde, het vlechtwerk, zinnebeelden van het verdwalen, van het dwalen in alle opzichten, van de verknoping, van het onontwarbare, van de vervlechting, de Ouden hadden al de vloek bespeurd, de onberekenbaarheid onderkend, de list gemerkt, waren in vallen gevallen, hadden het ondervonden, bedacht en beschreven. De volgende generatie moest verstandiger zijn, ze moest het beter hebben. Al vijfduizend jaar lang! Niet iedereen was een zwaard gegeven. En een zwaard, wat helpt het? Je kan er mee zwaaien, je kan er mee doden, en je kunt door het zwaard omkomen. Maar wat is bereikt? Niets. Je moet op het juiste moment in Gordium verschijnen. De gelegenheid maakt de held. Toen Alexander uit Macedonië kwam, was de knoop van zijn koppigheid moe. Bovendien was de gebeurtenis onbelangrijk. India werd toch al niet veroverd; alleen de randgebieden waren een paar jaar bezet, en tussen de bezettingsmacht en de bevolking werden ruiltransacties ontwikkeld.

Wat is er op de echte Potsdamer Platz? Een prikkeldraadversperring, een nieuwe en nogal stevige grens, een eind van de wereld, het ijzeren gordijn; God had het laten vallen, God alleen wist waarom. Korodin snelde naar de halte van de trolleybus, de trots van de hoofdstad, het moderne voertuig, dat tussen de ver van elkaar verwijderd liggende regeringswijken massa's mensen kon transporteren. Het zou voor Korodin niet nodig zijn geweest om bij de bushalte in de rij wachtenden te gaan staan. Hij had twee automobielen in de garage van zijn huis. Het was een daad van bescheidenheid en van kastijding, dat Korodin met het openbaar vervoer naar de politiek reed, terwijl de chauffeur, comfortabel en ochtendfris, Korodins kinderen met de wagen naar school bracht. Korodin werd gegroet. Hij groette terug. Hij was een man van het volk. Maar de groet van onbekenden maakte hem niet alleen dankbaar; hij maakte hem ook verlegen. De eerste bus kwam. Ze werkten zich naar binnen, en Korodin deed een stap terug, uit bescheidenheid en zelfkastijding deed hij een stap terug, maar hij had ook een afkeer (een zondige gedachte) van deze gehaaste, om hun brood vechtende mensen. Daar reed de vracht naar het parlement, naar de ministeries, naar de talloze bureaus, als sardientjes waren ze opeengepakt, de schare secretaressen, het leger employés, de compagnies middenkader, vissen van dezelfde vangst, emigranten uit Berlijn, emigranten uit Frankfurt, emigranten uit de holen van de wolfsschans, met de bureaus meegetrokken, met de stukken meegebundeld, bij dozijnen waren ze in de geprefabriceerde woonblokken gestouwd, gehorige muren scheidden hun bed nauwelijks van andere bedden, steeds waren ze bekeken, nooit waren ze alleen, steeds luisterden ze, steeds werden ze beluisterd, wie is in de hoekkamer op bezoek, wat wordt gezegd, praat men over mij, ze snoven op, wie heeft ui gegeten, wie gaat zo laat in bad, juffrouw Irmgard, die wast zichzelf met chlorofylzeep, zal het nodig hebben, wie kamde zijn haar in de bak, wie gebruikte mijn handdoek, geprikkeld, verbitterd, verzuurd, in schulden gedompeld waren ze, van hun families gescheiden, ze vonden troost bij elkaar, maar niet vaak, bovendien waren ze 's avonds te moe, ze beulden zich af, ze typten de wetten, ze maakten overuren, ze offerden zich op voor de chef, die ze haatten, die ze beloerden, tegen wie ze een lastercampagne voerden, aan wie ze anonieme brieven schreven, voor wie ze de koffie opwarmden, voor wie ze bloemen bij het raam zetten – en trots schreven ze naar huis, stuurden fletse boxfoto's waarop ze in de tuin van het ministerie te zien waren, of Leicashotjes die de chef op kantoor gekiekt had: ze waren bij de regering werkzaam, ze bestuurden Duitsland. Korodin schoot te binnen dat hij nog niet had gebeden, en hij besloot uit de stroom te glippen en een eind te voet te gaan.

Keetenheuve had zijn woning in het Bonner afgevaardigdengetto deze morgen niet opgezocht, voor hem was het louter een pied-à-terre van de onlust, een beklemmende poppenkamer *morgen kinderen zal het wat worden morgen zullen we plezier hebben*, wat moest hij daar; wat hij nodig had, droeg hij bij zich in de aktentas, en zelfs dit was nog ballast tijdens de trektocht. Ook Keetenheuve had de bus laten staan. Op het Domplein kwam Keetenheuve Korodin tegen, de bescheiden man. Korodin had tot de heilige Cassius en tot de heilige Florentius gebeden, de beschermheiligen van deze plek, hij had hun de zonde der hoogmoed bekend *ik dank u God dat ik niet ben zoals dezen hier*, en hij had zichzelf zowel voorlopig als voor deze dag van schuld vrijgesproken. Dat Keetenheuve hem door de Domdeur naar buiten zag komen, maakte Korodin opnieuw verlegen. Waren de heiligen door het gebed van de afgevaardigde niet verzoend, en straften ze nu Korodin, doordat ze hem met Keetenheuve confronteerden? Maar misschien was de ontmoeting wel het schone werken van de voorzienigheid en een teken dat Korodin in de gunst stond.

Het gold als ongebruikelijk wanneer afgevaardigden van elkaar vijandige partijen, ook al werkten ze in de commissies samen, stonden elkaar af en toe zelfs bij, met zijn tweeën wandelden. Voor ieder was het verdacht met de ander te worden gezien, en voor de partijleiders leek het alsof iemand uit hun kudde publiekelijk met een tippelende homo liep en schaamteloos zijn perverse aanleg tentoonspreidde. Het gerucht vermoedde bij elk gelegenheidsgesprek, dat misschien was gegaan over het drukkend weer, over de nog drukkender hartkwalen, het gerucht vermoedde samenzwering, partijverraad, ketterij en de val van de kanselier. Bovendien wemelde het van journalisten in de stad, en de foto van het vreedzaam samenzijn kon op maandag in de *Spiegel* staan en aanleiding geven tot veel onvrede. Dit alles bedacht Korodin wel, maar hij vond Keetenheuve (bijna zou hij 'de duivel hale je' hebben gezegd) niet onsympathiek, daarom haatte hij hem soms ook met een welhaast persoonlijke haat, niet slechts met de kille, routineuze afwijzing van de partijvijandigheid, want hij had ('dat hale je de duivel'), op een opvallende, niet over het hoofd te ziene, niet te onderdrukken manier het gevoel dat hier een ziel zou kunnen worden gered, dat je Keetenheuve nog op het juiste pad zou kunnen brengen, je zou hem ten slotte misschien zelfs kunnen bekeren. Korodin, de beide grote dure automobielen meestal in de garage, dweepte hartgrondig met een nieuwe generatie geestelijken, de priester-arbeiders van de naburige wijk. Dat waren knorrige mannen in plompe schoenen, van wie Korodin zich voorstelde dat ze Bernanos en Bloy hadden gelezen, terwijl alleen hij, en dat pleitte voor hem, door deze geesten onrustig werd gemaakt, en zo ontvingen de knorrige mannen af en toe een cheque van Korodin en vonden overigens dat hij als mens niet veel weggaf. Maar voor Korodin was dit chequegeschenk oerchristendom, pure oppositie tegen de bestaande orde, tegen de eigen stand en tegen de dure automobielen, en hij had inderdaad al moeilijkheden vanwege zijn 'rode neigingen', kreeg lichte verwijten, en de bisschop, zijn vriend, die net als Korodin Bernanos had gelezen, maar zich volstrekt niet onrustig, enkel bevreemd voelde, de bisschop zou de cheque liever in een andere offerbak hebben gezien.

Korodin, die steeds alles wist, steeds een lijst van verjaarda-

gen in zijn hoofd had, deze onthield, alleen al om in zijn wijd-
vertakte en vermogend verzwagerde familie niemand te kwetsen, Korodin wilde Keetenheuve zijn deelneming betuigen, en
misschien hoopte hij tegelijkertijd dat de ander in een moment
van verwarring vatbaarder zou zijn voor bekering, dat het ver-
lies van sterfelijk, aards geluk hem ontvankelijk had gemaakt
voor de vreugden van de onsterfelijkheid, maar dan, toen hij vlak
voor Keetenheuve stond, leek Korodin een condoleance toch
ongepast, ja tactloos en van een verwerpelijke intimiteit, want
voor een mens als Keetenheuve bleef tenslotte alles twijfelach-
tig wat in Korodins kringen vanzelfsprekend was, bijvoorbeeld
het uitspreken van medeleven, had Keetenheuve eigenlijk wel
verdriet, je wist het niet, je zag het niet, geen rouwband bedekte
de arm, geen zwarte strook markeerde de revers, en geen tranen
stonden bij de weduwnaar in de ogen, maar dat maakte de man
ook weer aantrekkelijk, misschien rouwde hij niet in het openbaar, en dus zei Korodin, terwijl hij omlaag keek en naar het
plaveisel van het Domplein staarde: 'We staan hier op een dodenakker uit de Frankisch-Romeinse tijd.' Maar zo was het nu
– de zin, al losgelaten, niet meer een loze vrijblijvende verlegen-
heidsgedachte, een associatie die zich had opgedrongen, de zin
was dommer dan elke condoleance, en Keetenheuve kon hem
opvatten als een toespeling op zijn verdriet en tegelijkertijd als
een banaal cynisch daaroverheenlopen. Daarom sprong Korodin nu uit louter verlegenheid over de dodenakker midden in de
vraag waar hij anders lang omheengedraaid zou hebben en die
hij uiteindelijk misschien helemaal niet gesteld zou hebben,
want tenslotte was het een oproep tot verraad, al was het tot verraad aan een slechte partij.

Hij vroeg: 'Kunt u uw houding niet veranderen?'

Keetenheuve begreep Korodin. Hij begreep ook dat Korodin
hem had willen condoleren, en hij was hem dankbaar dat hij het
niet had gedaan. Natuurlijk kon hij zijn houding veranderen.
Hij kon haar heel goed veranderen. Ieder mens kon elke houding veranderen, maar met Elke had Keetenheuve de enige

ingewijde in zijn oude houding verloren, de toeschouwer van zijn onrust, en dus kon hij deze houding niet en nooit meer veranderen. Hij kon haar vanuit zichzelf niet veranderen, want deze houding was hij, was een oerafkeer in hem, en hij kon haar al helemaal niet veranderen wanneer hij aan Elke's korte door misdaad en oorlog verstoorde levensweg dacht, en Korodin had hem het antwoord al toegespeeld, met zijn dodenakker uit Frankisch-Romeinse tijd.

Keetenheuve zei: 'Ik wil geen nieuwe dodenakker.'

Hij zou ook hebben kunnen zeggen dat hij geen Europese of West-Europese dodenakker wilde; maar dat had hem te pathetisch geklonken. Natuurlijk was met de dodenakker tegen de dodenakker te argumenteren. Dat wisten ze alletwee. Ook Korodin wilde geen dodenakker. Hij was geen militarist. Hij was reserve-officier. Hij wilde echter de mogelijke dodenakker waaraan Keetenheuve dacht riskeren om het opengraven van een andere, nog veel grotere en hem anders zeker lijkende akker (waarin hij zelf zou dalen met auto's, vrouw en kinderen), wanneer het ging, te verhinderen. Wat viel er echter te verhinderen? De geschiedenis was een onhandig kind of een oude blindengeleider die als enige wist waar de weg naartoe ging en daarom onverbiddelijk de vaart erin zette. Ze wandelden naar de paleistuin en bleven voor de speelplaats staan. Twee kleine meisjes schommelden op de wip. Het ene kleine meisje was mollig; het andere kleine meisje was mager en had mooie lange benen. De dikke moest zich van de grond wegstoten wanneer ze met de wip omhoog wilde schieten.

Korodin zag een gelijkenis. Hij zei: 'Denkt u aan de kinderen!' Hij vond zelf dat het zalvend klonk. Hij ergerde zich. Zo zou hij Keetenheuve niet bekeren.

Keetenheuve dacht aan de kinderen. Hij zou graag naar de wip zijn gegaan om met het knappe meisje te spelen. Keetenheuve was ook een estheet, en de estheet was onrechtvaardig. Hij was onrechtvaardig tegenover het dikke meisje. De natuur was onrechtvaardig. Alles was onrechtvaardig en ondoorgron-

47

delijk. Nu verlangde hij naar een burgerlijk huishouden, naar een vrouw die ook moeder was. Naar een knappe vrouw natuurlijk, naar een bekoorlijk kind. *Hij tilde een klein meisje op een schommel, hij stond in de tuin, de mooie vrouw en mooie moeder riep voor het middageten, Keetenheuve huisvader, Keetenheuve kindervriend, Keetenheuve heggensnoeier.* Het waren niet verbruikte, bedorven tedere gevoelens in hem.

Hij zei: 'Ik denk aan de kinderen!'

En hij zag een tafereel dat hem steeds weer voor de geest kwam, waaraan hij steeds opnieuw moest denken als aan een moment met een onheilspellende profetische visie. Keetenheuve had, toen hij vrijwillig het vaderland verliet, door niemand gedwongen behalve door een gevoel van diepe afwijzing van het tegenwoordige en het komende, Keetenheuve had, toen hij naar Parijs reisde, in Frankfurt overnacht, en 's morgens had hij voor de schouwburg in Frankfurt, vanaf het terras van een café waar hij knapperige hoorntjes at en himalayabloesemthee dronk, een optocht van de Hitlerjugend gadegeslagen, en toen was voor zijn ogen het plein opengegaan, het grote bonte plein, en allemaal, allemaal waren ze met vlaggen, met wimpels, met fluiten, trommels en dolken in een breed diep graf gemarcheerd. Het waren veertienjarigen, die hun Führer volgden, en in negentienhonderdnegenendertig waren ze twintigjarig, waren ze de stormtroepen, de vliegeniers, de matrozen – ze waren de generatie die stierf. Korodin keek naar de hemel. De wolken kleurden zwart. Hij vermoedde onweer. Op de plaats waar ze stonden, was een kind door de bliksem getroffen, en Korodin vreesde nu opnieuw de toorn des hemels. Hij wenkte een toevallig passerende taxi. Hij haatte Keetenheuve. Hij was nu eenmaal toch verloren, een man zonder verantwoording, een vagebond die geen kinderen had. Het liefst zou Korodin Keetenheuve in de laan hebben laten staan. Moge de bliksem hem treffen! En misschien bracht Korodin zichzelf en de taxi in gevaar doordat hij de verworpene uitnodigde mee te rijden. Maar dan won Korodins goede opvoeding het toch van angst en weerzin, en met een bevroren glimlach liet hij Keetenheuve in de wagen stappen.

Ze zaten zwijgend naast elkaar. Het druppelde en bliksemde, en regensluiers spreidden zich als mist over de kruinen van de bomen, maar de donder rommelde krachteloos en mat, alsof het onweer al moe of nog ver was. Het rook doordringend naar vochtigheid, aarde en bloesem, bovendien werd het steeds warmer, je zweette, het overhemd plakte aan het lichaam, en opnieuw had Keetenheuve het idee zich in een grote broeikas te bevinden. Ze reden langs de achterkant van het verblijf van de president, langs de voorkant van de villa van de kanselier, smeedijzeren poorten stonden open. Schildwachten bewaakten de vrije oprijlaan, je zag bloemperken, weidse groene vlaktes, kweekbedden, bloemen schitterden, een teckel en een Duitse herder liepen, een ongelijkvormig paar, als in een gesprek verdiept, langzaam over grindpaden. Een botanisch landschap, een botanische tuin, prinsessen hadden hier gewoond en suikerfabrikanten, oplichters waren bij hen te gast geweest, ze hadden het vermogen niet kleingekregen. Een paar bommen waren ook gevallen. Daar staken geblakerde muurstompen uit het dichte groen. De Bondsvlag wapperde. Een heer liep, een kleine damesparaplu ondanks de regen dicht aan een lus aan de pols, langzaam naar kantoor. Een gewezen, een toekomstige, een hergebruikte gezant? Figuranten van het politieke toneel zwierven door de lanen, en met hen zwierven hun biografieën, hun gedrukte waarheid, hoerenjongen met foutieve spaties. Je zag de figuranten. Waar graasde de regisseur? Waar vrat de protagonist zijn gras? Er waren toch nooit regisseurs en protagonisten geweest. De taxi kwam louter antagonisten tegen, die erger hadden voorkomen. Het is dat het regende; anders zouden ze zich in hun roem hebben gekoesterd.

Ze stopten voor de Bondsdag. Korodin betaalde de wagen. Hij wilde niet dat Keetenheuve aan de kosten van de kleine rit zou bijdragen, maar hij liet zich door de chauffeur wel een kwitantie geven, Korodin wilde de staat niets schenken. Hij nam haastig met een bevroren glimlach, bang, het bliksemde weer, afscheid van Keetenheuve. Hij snelde weg, alsof de wet hem en precies hem had geroepen en aangesteld. Keetenheuve wilde een kijkje nemen in de persbarakken, maar Mergentheim zou nog niet op zijn, hij had zijn veeleisende Sophie thuis en was niet matineus. Keetenheuve aarzelde om naar zijn kantoor te gaan. Toen zag hij dat buitenlandse bezoekers, aangesleept in autobussen, bezichtiging van de hoofdstad, bezichtiging van het parlement van de Bondsrepubliek, het middageten in het parlementsrestaurant, zich voor een rondleiding hadden verzameld, en zoals een oude Berlijner wel eens op het idee kwam met een rondrit van Käse mee te gaan, zo sloot Keetenheuve zich bij de juist vertrekkende schare aan. Wat merkwaardig! De bode in donkere dienstkleding, die de nieuwsgierigen rondleidde, leek sprekend op de kanselier. Hij had een wat vertrokken gezicht, droog, listig, met humorplooien, hij zag eruit als een slimme vos, en hij sprak hetzelfde dialect als de belangrijke staatsman. (In de monarchistische tijd droegen de trouwe dienaars de baarddracht van de koningen en keizers.) Ze liepen de trap op naar de zaal voor de plenaire vergaderingen, en hun gids, wiens gelijkenis met de kanselier kennelijk alleen Keetenheuve was opgevallen, want niemand lette speciaal op hem, de gids verklaarde nu dat het gebouw waar ze doorheenliepen een pedagogische academie was geweest, en helaas greep hij nu niet de kans, Duits ontwikkeld wereldbeschouwelijk, Goethisch te worden en op de pedagogische provincie te wijzen, die zich van hieruit kon uitbreiden. Wist de kanselier-klerk, dat het zijn parlement aan filosofen ontbrak om van hieruit intellectueel pedagogisch te ploegen?

Voor de eerste keer stond Keetenheuve op de galerij van de vergaderzaal en zag de onbeklede, voor het volk en de pers bestemde stoelen. Beneden was al het gestoelte al groen overtrokken, zelfs de communisten mochten zich verheugen in het groene gemak van het kussen. De zaal was leeg. Een leeg groot klaslokaal met opgeruimde scholierenlessenaars. De katheder van mijnheer de leraar was verhoogd, zoals dat hoorde. De kanselier-klerk vermeldde het belangrijke. Hij zei dat de zaal duizend meter neonbuizen had. Slechthorende afgevaardigden, zei de kanselier-gids, zouden gebruik kunnen maken van een koptelefoon. Een grapjas wilde weten of je de koptelefoon op muziek kon zetten. De kanselier-cicerone negeerde de opmerking met een soevereine kalmte. Hij wees op de drie stemdeuren en vertelde over de gewoonte dat de afgevaardigden als schapen achter hun leider door een van deze deuren liepen, afhankelijk van het feit of ze voor stemden, tegen stemden of zich onthielden van stemming. Keetenheuve zou hier met een anekdote aan het plezier van de gasten hebben kunnen bijdragen, met een alleraardigste kleine anekdote uit het leven van een parlementariër. Keetenheuve, het schaap, was een keer verkeerd gelopen. Dat wil zeggen, hij wist niet of hij verkeerd was gelopen, hij was opeens gaan twijfelen, en hij was door de ja-deur gehuppeld, terwijl zijn fractie nee had besloten. De coalitie had hem toegejuicht. Ze vergiste zich. Korodin had het eerste succes van zijn bekeringswaan gezien. Hij vergiste zich. In de fractiekamer had men Keetenheuve opgewonden berispt. Ook daar vergisten zij zich. Keetenheuve had de vraag waarover werd gestemd tamelijk onbelangrijk gevonden en volgens zijn ingeving van dat moment gehandeld, een ja-zegger en geen nee-zegger, die stemde voor een onbelangrijk regeringsvoorstel. Waarom zou de regering bij veel vragen geen gelijk hebben? Het leek hem dwaas dat te ontkennen en een oppositie van stijfkoppigheid te voeren of van politieke beginseltrouw, wat op hetzelfde neerkwam. Keetenheuve zag beneden schooljongens zitten, boerenjongens, stijfkoppen, twistziek en ootmoedig, twistziek en tegenstribbelend, twistziek en traag van geest, en onder hen een paar strebers. 'Kletskousen,' zei een bezoeker. Keetenheuve keek naar hem. De bezoeker was het gemene type stamkroegnationalist, die zich met genoegen door een dictator liet knechten, als hij zelf maar een paar laarzen kreeg om naar beneden te trappen. Keetenheuve keek naar hem. Op zijn bakkes, dacht hij. 'Wel,

denkt u er anders over?' zei de man en keek Keetenheuve uit-
dagend aan. Keetenheuve zou hebben kunnen antwoorden: ik
weet niets beters, zelfs dit parlement is van twee kwaden het
minste. Hij zei echter: 'Houdt u hier uw vervloekte bek!' Het
gezicht van de man liep rood aan, toen werd hij onzeker en
hield laf zijn mond. Hij liep snel weg van Keetenheuve. Wanneer hij de afgevaardigde Keetenheuve zou hebben herkend,
zou hij denken: ik zet het u nog wel eens betaald, u staat op de
lijst, op dag x, in het moeras en op de hei. Maar niemand kende
Keetenheuve, en de kanselier-klerk leidde zijn schare weer naar
buiten.

De journalisten werkten in twee barakken. De barakken be-
vonden zich, langwerpig en één verdieping hoog, tegenover het
parlement; ze zagen er van buiten uit als militaire gebouwen, als
een voor de duur van een oorlog (en oorlogen duren lang) opgericht onderkomen voor de staven en kantoren van een nieuw
militair oefenterrein. Maar binnenin was in elke vleugel een
middengang die aan de corridor van een schip deed denken,
niet zozeer op het luxedek, maar toch op de toeristenklasse,
waar links en rechts van de gang hut aan hut was geschakeld, en
door het geklepper van de schrijfmachines, het tikken van de
telexen, het voortdurende gerinkel van de telefoons ontstond
het idee dat zich achter de redactiekamers de opgezweepte zee
bevond met meeuwengekrijs en stoombootsirenes, en zo waren
de persbarakken twee schuiten, die op de golven van de tijd
werden geschommeld en geschud. Als vloed en eb liepen over
een dennenhouten tafel bij de ingang de 'Mededelingen voor de
pers', fletse en vervaagde informatie op goedkoop papier, die
daar achteloos werden neergegooid door de bedaarde bodes
van de vele regeringsbureaus, die zich met het aanprijzen van
de bezigheden van de departementen, met het informeren van
het publiek, met de regeringspropaganda, het verhullen, ver-
sluieren en verzwijgen van gebeurtenissen, het sussen, het herroepen van waarheden en leugens bezighielden en soms zelfs in
de hoorn van de verontwaardiging bliezen. Het ministerie van

Buitenlandse Zaken maakt bekend, het ministerie voor het Marshallplan maakt bekend, het ministerie van Financiën, het cbs, Post en Spoorwegen, de Bezettingsdepartementen, de Politieminister, Justitie, ze maakten allemaal veel of weinig bekend, waren spraak- of zwijgzaam, lieten de tanden zien of een ernstig bezorgd gezicht, en sommigen hadden ook een glimlach voor de openbaarheid over, de bemoedigende glimlach van een toegankelijke schoonheid. De West-Duitse regeringsvoorlichtingsdienst maakte bekend, dat van de bewering van een oppositiepartij dat een regeringspartij de Franse geheime dienst om hulp bij de verkiezingen had verzocht, geen woord waar was. Hier was men nu serieus kwaad, men dreigde de Officier van Justitie in te schakelen, want het verkiezingsfonds, de partijgelden waren een taboe, altijd een pijnlijk onderwerp; men had net als iedereen geld nodig, en waar moest het anders vandaan komen dan van rijke vrienden. Korodin had rijke vrienden, maar zoals dat bij welgestelden gebruik is, ze waren gierig (Korodin begreep dat) en wilden voor hun geld iets hebben.

Het persschip deinde deze ochtend bij een zacht briesje weg. Keetenheuve merkte dat er niets bijzonders aan de hand was. De planken trilden niet, geen deur werd opengesmeten en dreunend dichtgeslagen; toch zijn er stormen die plotseling en onverhoeds, door geen weerbericht voorspeld, opsteken. Keetenheuve klopte bij Mergentheim aan. Mergentheim zat in de hoofdstad voor een krant die zich met recht tot de 'geziene' van de federatie rekende (maar hoe zat dat met de andere? werden zij niet gezien, of waren zij niet gezien? arme muurbloempjes van openbare volksdansen!), en op belangrijke dagen hield hij voor de radio vriendelijke, begrijpelijke beschouwingen, die geenszins onkritisch waren en zelfs al knorrige klachten van de overgevoelige en zigeunerachtig jaloerse partijen hadden uitgelokt. Keetenheuve en Mergentheim – waren ze vrienden, vijanden? Ze zouden het antwoord niet hebben geweten: vrienden kon je ze niet noemen, en geen van beiden zou over de ander met de trots van een schooljongen hebben gezegd: mijn vriend Mergentheim, mijn beste vriend Keetenheuve. Maar af en toe werden ze wel naar elkaar toegetrokken, want ze waren beginnelingen en collega's geweest in een tijd dat alles nog anders had kunnen gaan, en wanneer de geschiedenis anders zou zijn verlopen (uiteraard was dit onvoorstelbaar), zonder de Oostenrijkse dwaas, zonder de monstrueuze opstand, zonder misdaad, overmoed, oorlog, dood en vernietiging, misschien zouden Keetenheuve en Mergentheim dan nog jaren samen in dezelfde donkere paleiskamer van het oude *Volksblad* hebben gezeten (Keetenheuve zou het hebben gewenst, maar Mergentheim vermoedelijk niet), en zouden werkelijk, ze waren jong, het gevoel hebben gehad naar hetzelfde te streven, elkaars meningen te delen, vrienden te zijn. Maar in drieëndertig ging het uit elkaar als in scheiwater. Keetenheuve, uitgescholden voor brave zak, ging in ballingschap, en Mergentheim bewandelde succesvol het pad der deugdelijkheid, waardoor hij chefredacteur, men zei hoofdredacteur, van de veranderde krant werd. Later evenwel moest het *Volksblad* ondanks gehoorzame aanpassing, waarmee het de lezers verloor, zijn verschijnen opschorten, of het was door het arbeidsfront opgeslokt, men wist het niet zo precies, en bestond nog een tijdlang verder als ondertitel met een partijgenoot als chef, en Mergentheim verdween als correspondent naar Rome. Precies op tijd! De oorlog kwam, en in Rome was het aangenaam. Later in de Noord-Italiaanse Mussolini-republiek leek het ook voor Mergentheim kritisch te worden, kogels van de ss of kogels van de partizanen dreigden, en gevangenschap lag op de loer, maar weer kon Mergentheim nog op tijd verdwijnen, en zo was hij met een tamelijk onbesproken gedrag een gezochte en gevraagde man van de wederopbouw geworden. Keetenheuve was elke keer weer blij Mergentheim op diens kantoor te zien, want zolang Mergentheim achter zijn bureau zat, zolang hij niet opnieuw verdween, bijvoorbeeld correspondent in Washington werd, leek voor Keetenheuve de staat veilig en de vijand veraf.

Mergentheim was Keetenheuve geheel vergeten, en toen hij hem als afgevaardigde in Bonn opmerkte, een stroper in zijn territorium, was hij oprecht verbaasd. 'Ik dacht dat je dood was,' stamelde hij, toen Keetenheuve hem voor de eerste keer opzocht, en hij dacht dat hij werd betrapt en geloofde dat hij rekenschap moest afleggen. Rekenschap waarvoor overigens? Kon hij er iets aan doen dat alles zo was gegaan? Hij was de man van voor iedereen begrijpelijke beschouwingen, niet onkritisch, wanneer het niet direct zijn kop of zijn baan kostte, en per slot van rekening had hij het beroep van krantenman en niet dat van martelaar gekozen. Mergentheim was echter snel van de schrik bekomen. Hij zag dat Keetenheuve vriendelijk vriendschappelijk was gekomen, omwille van sentimentele herinneringen en geenszins verwijtend. Zo was Mergentheim tenslotte alleen maar verbaasd dat ook Keetenheuve door de tijdsgolf was omhooggedragen, en meer nog dat hij de kunst had verstaan zich omhoog te laten dragen en het geluk (zo vatte Mergentheim het op) bij de lurven te grijpen. Maar toen hij in de loop van het eerste gesprek merkte dat Keetenheuve niet, zoals Mergentheim had vermoed, met een Britse of Panamese pas was teruggekeerd en dat hij zelfs te voet bij hem, de oude collega, was beland, toen veranderde Mergentheim van een bangelijk iemand in een weldoener, sleurde Keetenheuve in zijn verchroomde dienstauto en reed hem naar zijn huis, naar Sophie.

Sophie, aanlokkelijk, geurend, in de huisjapon van een Düsseldorfse Dior en via de telefoon blijkbaar over de komst van de gast geïnformeerd (hoe had Mergentheim dat nu weer klaargespeeld?), begroette Keetenheuve met een vertrouwelijke 'we kennen elkaar toch' en met een oogopslag die de gedachte opriep dat hij met haar had geslapen. Dat was onwaarschijnlijk. Maar vervolgens bleek dat Sophie eens stagiaire op de expeditie-afdeling van het *Volksblad* was geweest, en ook al kon Keetenheuve zich haar niet herinneren, Mergentheim moest haar later hebben ontdekt, als niet zij hem had opgespoord, en de promotie tot mevrouw hoofdredacteur had voor haar maatschappelijke eerzucht de eetlust opgewekt; ze was de muze die Mergentheim op de weg van het succes, van de carrière en van de tijdige aanpassing adviseerde, voortstuwde en ondersteunde.

Nee, Keetenheuve had niet met haar geslapen, misschien zou hij het hebben kunnen doen, Sophie gaf zich aan belangrijke en invloedrijke personen zonder wellust, de wellust ervoer zij pas wanneer over de copulatie werd gesproken, jongemannen en louter mooie mannen versmaadde zij, en ook al was Keetenheuve niet de concertmeester in zijn partij, dan speelde toch ook hij daar de eerste viool en zou haar bed waard zijn geweest. Maar nooit was het tot omhelzing, kus en bijslaap gekomen; Keetenheuve reageerde lusteloos, en omdat hij consequent niet deelnam aan het sociale leven van de regeringskringen, was hij voor Sophie ook geen aanlokkelijk wild, maar weldra enkel een zak. Het epitheton brave ontbrak dit keer, orneerde niet, en ook Mergentheim voegde het niet toe aan de typering van de oude vriend, want omdat Keetenheuve het tot afgevaardigde had gebracht, kon hij wel een zak zijn, maar dat hij braaf zou zijn, was nu onwaarschijnlijk en niet langer vermeldenswaardig.

Er ontstond echter irritatie, die van de losse vriendschap bijna vijandschap gemaakt zou hebben, toen Mergentheim in het handboek van de Bondsdag had ontdekt, dat Keetenheuve gehuwd was. Dat prikkelde de nieuwsgierigheid van Sophie. Wie was de vrouw die Keetenheuve niet liet zien? Was ze zo mooi, was ze zo lelijk, dat hij haar verborg? Was ze een rijke erfgename, en was hij bang dat ze hem ontroofd kon worden? Zoiets was het vermoedelijk, en Sophie koppelde in gedachten Elke al aan jonge ambassadesecretarissen, niet om Keetenheuve te benadelen, maar om de natuurlijke orde te herstellen, want Keetenheuve verdiende geen mooie jonge erfgename. Uiteindelijk ontmoetten de vrouwen elkaar en vonden elkaar toen vervelend. Elke gedroeg zich onhebbelijk, mokte, wilde niet naar de balzaal gaan (wat Keetenheuve in verrukking bracht, hij wilde ook niet gaan, kon ook niet gaan, want hij bezat geen rokkostuum), maar tenslotte zette Sophie toch haar wil door, en

Elke reed met Mergentheim naar het bal, nadat ze Keetenheuve nog had toegefluisterd dat Sophie een korset droeg (wat Keetenheuve geneerde). Op het feest was het vreselijk geworden. Beide vrouwen dachten uit een niet te doorgronden afkeer van elkaar: stomme nazi (zo kunnen vrouwen zich vergissen), en Elke bleef niet in de buurt van de ambassadesecretarissen, maar van de ambassadejenever, die tolvrij ingevoerd en voortreffelijk was, en toen de alcohol haar hoofd op hol had gebracht, verkondigde zij aan het verraste gezelschap, dat ze als een verzameling spoken omschreef, dat Keetenheuve de regering ten val zou brengen. Ze noemde Keetenheuve de man van de revolutie, die de zich uitbreidende en consoliderende restauratie minachtte; zo veel hield Elke van haar echtgenoot, en hoe zeer moest ze zich gaandeweg in hem teleurgesteld voelen. Maar toen de verbazing over haar uitspraak was weggeëbd en Elke nu toch door een attaché, die zij, in plaats van hem te omhelzen, uitschold, in de wagen naar huis werd gebracht, was het domme voorval komisch genoeg nuttig voor het aanzien van de afgevaardigde, want Elke had niet verraden (ze zou ook niet hebben geweten hoe het te zeggen), wat voor val Keetenheuve voorbereidde, van wat voor kant, met wat voor hulp, met wat voor wapens en met wat voor doel hij de regering uit de weg wilde ruimen, en zo beschouwden velen na deze avond Keetenheuve wantrouwend en uit eigen belang als een politicus met wie misschien rekening moest worden gehouden.

Mergentheim zat als een opgeblazen melancholieke vogel achter zijn bureau, zijn gezicht werd steeds breder, de ogen gestaag waziger, de glazen dikker, de hoornen montuur van de bril zwarter en zwaarder, en zo werd de indruk versterkt een uil, een oehoe onder ogen te komen, een kreupelhout- en ruïnevogel, die dure maatkostuums droeg, en misschien was hij zeer tevreden, vrolijk en vergenoegd, kraste enkel een beetje van opgeblazen drukte, was enkel wat vermoeid van de nachtvluchten van de aanspoelende gezellin, en de aanname dat het bij de vogelfauna horende karakter melancholiek zou zijn, was misschien een vergissing in de van verkeerde interpretaties uitgaande voorstelling van de bezoeker. Mergentheim stuurde zijn secretaresse weg om iets te bezorgen. Hij bood Keetenheuve sigaren aan. Hij wist dat Keetenheuve niet rookte, maar Mergentheim deed alsof hij het had vergeten. Keetenheuve moest zichzelf enkel niet te belangrijk vinden. Mergentheim wikkelde een zwarte tabaksrol uit knisperend zilverpapier en stak hem aan. Hij bekeek Keetenheuve door een blauwe damp. Mergentheim wist dat Elke was gestorven, er werd gesmoezeld onder mysterieuze omstandigheden, geroddel ging snel rond, maar evenals Korodin vond ook Mergentheim geen woord van medelijden voor Keetenheuve, ook hij voelde dat de vermelding van familiaal ongeluk, van persoonlijk leed tegenover Keetenheuve misplaatst was, tactloos en opdringerig; Mergentheim zou niet hebben kunnen zeggen waarom – Keetenheuve was nu eenmaal zo. Mergentheim voelde dit keer goed! Keetenheuve was geen gezinsmens, hij kon liefhebben, hij was zinnelijk, maar hij had zo weinig tweezaams meegekregen, dat hij niet eens voor echtgenoot had gedeugd. Keetenheuve was een mens zonder contacten, die af en toe naar contacten verlangde, en dat had hem in zijn partij gebracht, in moeilijkheden en verwarrende situaties. Het huwelijk, niet de liefde, was voor Keetenheuve een perverse levensvorm geweest, en misschien was hij toch een verdwaalde monnik, een in de kooi geraakte landloper, uiteindelijk zelfs een martelaar die het kruis had gemist. Mergentheim dacht: arme kerel. Elke's dood had Keetenheuve vast en zeker aangegrepen, en Mergentheim verklaarde het voor zichzelf zo (en niet geheel verkeerd), dat Keetenheuve ontworteld uit de ballingschap was teruggekeerd en dat Elke zijn wanhopige poging was geweest hier weer wortel te schieten, hier liefde te krijgen en lief te hebben. De poging was mislukt. Wat zou de man nu doen? Een onvermoed geluk (zo vatte Mergentheim het hardnekkig op) had Keetenheuve naar boven gedragen, in het domein van de grote politieke beslissingen, en door verschillende omstandigheden, die Keetenheuve niet met opzet had teweeggebracht of nagestreefd, was hij in een sleutelpositie terechtgekomen, waarin hij weliswaar niet doorzette wat hij misschien wilde (en wat wilde hij?), maar waarin hij wel een hinderpaal kon zijn. Dat was gevaarlijk! Misschien wist Keetenheuve werkelijk niet hoe gevaarlijk zijn positie was. Misschien was hij toch een dwaas, een brave zak gebleven. Dan was hij, tenminste onder parlementariërs, een unicum, en Mergentheim bekeek hem met nieuwe welwillendheid.

'Wees voorzichtig,' zei Mergentheim.

'Waarom?' Het kon Keetenheuve eigenlijk niet schelen. Waarom moest hij voorzichtig zijn? Wat wilde Mergentheim? Wat wilde hij hier, hij, Keetenheuve, wat wilde hij hier? In de kamer van het oude *Volksblad* had hij zich meer op zijn gemak gevoeld. Die was in puin gevallen. *Vergeet het!* Wat wilde Keetenheuve in deze barak, waar van alle muren de hysterische bedrijvigheid afdroop. Keetenheuve was er langzamerhand onverschillig voor geworden of het regende of mooi weer was. Hij had zijn trenchcoat.

'Je zou rijp voor de slacht kunnen zijn,' zei Mergentheim.

Dat was waar! Hij was rijp voor de slacht. Hij voelde het zelf. Hij was verslaafd geraakt aan de genoegens van het eten. Misschien wilde hij al die armensoepen die hij had gegeten compenseren. Ze konden niet gecompenseerd worden. Maar hij was dik geworden. Traag sliep het vet onder de huid. Mergentheim was veel dikker. Maar die stond het; hem niet. Oké, hij zou vechten.

Hij vroeg: 'Wat weet je?'

'Niets,' zei Mergentheim. 'Ik vermoed alleen maar iets.'

De oehoe trok een slim gezicht. Hij hulde zich in rook. De dikke brillenglazen besloegen voor de wazige ogen. Zo zagen de uilen op de oude prenten van de heksen eruit. Eigenlijk zagen ze er dom uit.

'Speel geen Pythia. Wat is er aan de hand?' Ach, hij was helemaal niet nieuwsgierig. Hij raakte er vandaag zo in verzeild. *Slecht*

Mergentheim lachte. 'Wie een hond wil ophangen...'
Een hond heeft geblaft in Insterburg
'Maar ik heb geen haak,' zei Keetenheuve; 'voor hen niet!'
'Meneer majoor...'
'Doe niet zo stom. Dat is een te domme leugen.'
'De waarheid is vaak enkel een kwestie van opmaak,' zei Mergentheim.

Dat was het dus! Ze wilden hem monddood maken. Het was een oude geschiedenis met een luchtje, waarachter hij moest verdwijnen. Al gauw na zijn terugkeer had zich over Keetenheuve het gerucht verspreid dat hij tijdens de oorlog in Engeland het uniform van een Britse majoor had gedragen; en natuurlijk waren er lieden te vinden (wanneer waren die niet te vinden?), die beweerden hem in buitenlandse kleding te hebben gezien. Het was volkomen onzin, zo gemakkelijk te weerleggen, dat Keetenheuve geen zin had om zich te verdedigen, en voor iedereen die Keetenheuve kende was het een belachelijke gedachte hem als majoor te zien rondlopen, al was het als Britse, het paradestokje onder de arm, het was absurd, want het was Keetenheuve's werkelijke tekortkoming (en op dit punt was hij onverzettelijk) dat hij er oprecht trots op was nog nooit een uniform te hebben gedragen, ook al meende hij in een abstract betoog (en met een conclusie die voor hem praktisch helemaal niet in aanmerking was gekomen), dat in het geval van Hitler aan het Britse uniform de voorkeur gegeven moest worden boven het Duitse – om ethische redenen, die Keetenheuve verkoos boven de nationale, die hij als atavistisch beschouwde. Met geen enkele dode is het vaderland geholpen, en de mensen sneuvelen in het gunstigste geval voor ideeën die ze niet begrijpen en waarvan ze de consequentie niet overzien. De verminkte krijgers op de slagvelden, de geplaagde volkeren waren de slachtoffers van twistzieke, uiterst eigenzinnige, betweterige en totaal onbekwame denkers, die in hun op hol gebrachte arme hoofd geen duidelijkheid konden scheppen en die elkaar bovendien wederzijds niet begrepen en niet verdroegen. Maar misschien waren de legers ook verwarde scheppingsgedachten van God, die op elkaar vlogen. Gelukkig hij die daaraan niet meedeed! Nog gelukkiger hij die er een halt aan toeriep!

Keetenheuve maakte een vermoeide afweerbeweging. 'Dat is toch onzin, waarom vertel je me dat?'

'Weet ik niet,' zei Mergentheim, 'noem het onzin, natuurlijk was je geen Royal Officer, weet je, ik geloof dat, maar de bewering ligt goed in het gehoor en geeft de massa een aanschouwelijk beeld van je. Keetenheuve afgevaardigde en Brits majoor. Daar klopt toch iets niet, nietwaar? Daar is iets verdacht. We weten dat het een leugen is, een totaal uit de lucht gegrepen geschiedenis. Maar allereerst staat ze een keer in de krant. Wanneer je geluk hebt, vergeet men haar. Maar dan zet men de tijding weer in de krant. Van politieke laster begreep Hitler echt wel iets, en wat leert hij in zijn handboek? De voortdurende, vermoeiende herhaling van laster. Iemand heet Bernhard. Men noemt hem Itzig. Steeds opnieuw. Steeds opnieuw. Dat is het recept.'

'Zo ver zijn we nog niet.'

'Je hebt gelijk. Zo ver zijn we nog niet. Maar misschien heeft iemand, misschien heeft vriend Frost-Forestier een foto van je gevonden. Je herinnert het je niet. Maar misschien sta je op deze foto achter de microfoon van de BBC, je ziet de letters, en als je ze niet ziet, kan er een handje geholpen worden, en iedereen ziet ze dan en iedereen kent ze. Voel je 'm? En misschien heeft iemand, misschien weer Frost-Forestier, een oude geluidsband opgescharreld, misschien nog uit kisten van de contra-inlichtingendienst, uit Gestapobezittingen, en men kan je vandaag weer horen, hoe je tot je kiezers sprak, toen zij in de kelder zaten...'

Hier is Engeland. Hier is Engeland. De lange gangen van de studio. De verduisterde ramen. De blauwbesmeurde lampen. De geur van carbol en van beschimmelde thee. Hij ging niet naar de kelder wanneer er alarm was. De verduisterde ruiten trilden. De blauwgesmeerde gloeilampen trilden en flikkerden. Het hart! Het hart! Hij kwam uit de bossen...

Hij kwam uit de bossen van Canada. Hij had geholpen als geïnterneerde bij het houthakken. Lichamelijk was het geen slechte tijd geweest: de eenvoudige krachtige voeding, de koude ozonrijke lucht, met je handen werken, slapen in tenten...

Maar voor Keetenheuve geen slaap! Wat doe ik hier? Wat wil ik hier? Enkel niet meedoen? Enkel niet erbij zijn? Enkel afzijdig blijven? De onschuld voeden, de gecultiveerde, de misleidende onschuld? Is dat genoeg? Sneeuw viel op de tenten in de winter, viel geruisloos door het hoge bos, goot een roemloos stil graf van zachte vreemde sneeuw, want had hij het niet zo ver laten komen, was het niet zijn schuld, had hij zich niet altijd al afzijdig gehouden, overgevoelig vertroeteld, in de ivoren toren, voornaam, hongerend, dakloos, ellendig, van land naar land gestuurd, maar altijd afzijdig, altijd verdragend, nooit vechtend, was hij niet de wortel van alle gruwelen die nu als bloedige etterige zweren in de wereld openbraken...

Na maanden scheidde men in het Canadese boskamp de zwarte van de witte schapen, en Keetenheuve reisde op borgtocht en verzoek van een quaker naar Londen terug.

Hij sprak in Engeland. Hij streed achter de microfoon, en hij streed niet in het laatst voor Duitsland, zoals hij dacht, voor de val van de tiran en vrede; het was een goede strijd, en niet hij moest zich schamen. Een eind aan de waanzin, werd de oplossing genoemd, en een eerder einde zou van het grootste nut voor de wereld zijn geweest en van het allergrootste nut voor Duitsland. Keetenheuve voelde zich één met alle soorten van verzet, één zelfs met het militaire gedeelte ervan, met de mannen van de twintigste juli. Hij zei het Mergentheim.

Maar die antwoordde: 'Ik ben geen missionaris. Ik ben journalist. Hier, kijk maar eens naar het jaarboek van het parlement! Het verzet hebben je collega's al weer uit hun levensloop geschrapt. Ik heb de laatste editie. Jij schijnt nog bij de vorige stil te staan. En die is al vernietigd! Begrijp het toch! Wees verdraagzaam! Velen denken dat er met je baas onderhandeld kan worden, maar met jou valt niet te praten. Knurrewahn was onderofficier. Je brengt hem van zijn stuk. Ze noemen je al zijn kwade geest. Je brengt hem aan het weifelen.' Keetenheuve zei: 'Dat zou al wat zijn. Dan zou ik iets bereikt hebben. Wanneer Knurrewahn twijfelt, zal hij beginnen te denken. En dat denken zal hem nog sterker aan zijn politiek laten twijfelen.' Mergentheim onderbrak hem ongeduldig. 'Je bent gek,' riep hij. 'Jij bent niet te helpen. Maar dat wil ik je nog zeggen: je verliest. Je verliest meer dan je beseft. Want dit keer kun je ook niet meer emigreren. Waarnaartoe? Je oude vrienden denken vandaag de dag net als wij, en alle werelddelen, ik zeg je, alle werelddelen zijn door gordijnen van wantrouwen gesloten. Je bent misschien maar een mug. Maar de olifanten en de tijgers zijn bang voor je. Wees daarom op je hoede voor hen.'

De scheepsgang tussen de perskamers schommelde niet meer dan anders onder zijn zich verwijderende voetstappen. Hij voelde geen val of persoonlijk gevaar. Wat Mergentheim had gezegd, verontrustte Keetenheuve niet. Het stemde hem alleen verdrietig, terwijl hij al verdrietig was; maar het is niet schokkend bevestigd te horen wat je al lang weet en vreest, in dit geval de nationale restauratie, het restauratieve nationalisme waarop alles uitdraaide. De grenzen gingen niet open. Ze gingen weer dicht.

En weer zat men in de kooi waarin men was geboren, de kooi van het vaderland, die dit keer tussen andere kooien met andere vaderlanden aan een stang hing die door een van de grote kooien- en mensenverzamelaars verder de geschiedenis in werd gedragen. Natuurlijk hield Keetenheuve van zijn land, hij hield er evenzeer van als iedereen die dat luid bezwoer, misschien zelfs meer nog, omdat hij lang was weggeweest, er naar terug had verlangd en daarmee het land vanuit de verte had geïdealiseerd. *Keetenheuve romanticus.* Maar hij wilde niet in een kooi zitten waarvan de deur door de mobiele eenheid werd bewaakt, die iemand alleen met een pas waarom je de kooienbaas moest verzoeken eruitliet en dan ging het verder, je stond tussen de kooien, daar waar je niet kon wonen, men schuurde zichzelf in deze toestand langs alle tralies, en om in een andere kooi binnen te komen had je weer het visum nodig, de verblijfsvergunning van die kooienheerser. De toestemming werd node gegeven. In alle kooien toonde men zich bezorgd over de bevolkingsafname, maar er heerste alleen maar vreugde over de aanwas die uit de schoot van de kooi-inwoonsters kwam, en dat was een vreselijk beeld van onvrijheid op de hele aarde. Daarbij kwam dat men dit keer aan de stang van de grote kooiendrager bungelde. Wie wist waar hij heenging? En was er een keuze? Je kwam met je hele kooi enkel aan de stang van de andere grote kooiendrager, die net zo onberekenbaar als de eerste (en wie weet door welke demon, door welke idee-fixe gedreven) zich vergiste – een anabasis, waarmee men het nageslacht weer op hun scholen zou kwellen. Bij de uitgang van het persgebouw, van het nieuwsschip, bij de dennentafel van de mededelingen kwam Keetenheuve Philip Dana tegen, die, een Onze-Lieve-Heer van de ware geruchten, verheven boven vloed en eb van ambtelijke communiqués, nors in het karige voer wroette. Dana nam Keetenheuve bij de hand en bracht hem naar zijn kamer.

De nestor van de corrrespondenten was een grijsaard en mooi. Hij was de mooiste van de mooie en bedrijvige grijsaards van de politiek. Met sneeuwwit glanzend haar en zijn frisse rode huid zag hij eruit alsof hij net van buiten kwam, waar hij goed had rondgekeken. Je wist niet of Dana vanuit zichzelf een persoonlijkheid was, of dat hij alleen zo'n belangrijke indruk maakte omdat hij met beroemde en beruchte mensen had gesproken, die misschien voor zichzelf en voor de buitenwereld alleen daarom de grote man konden spelen omdat Philip Dana hen waardig had geacht om mee te telefoneren. In de grond van de zaak verachtte hij de staatsmannen die hij interviewde; hij had er te veel van dit soort zien opkomen, schitteren, vallen en soms aan de galg zien hangen, wat voor Dana heimelijk een vreugdevoller gezicht was dan ze rustig en betweterig in presidentszetels of met de bevredigde glimlach van de zachte ouderdomsdood in het vette gezicht in staatsdoodskisten opgebaard te zien, terwijl hun volkeren hen vervloekten. Dana was al veertig jaar bij alle oorlogen en alle conferenties geweest die op de slachtpartijen volgden en de nieuwe aanvallen voorafgingen; hij had de domheid van de diplomaten met bakken over zich heen gekregen, hij had blinden als leiders gezien en had doven tevergeefs voor aanstormende catastrofes gewaarschuwd, hij had doldrieste honden meegemaakt, die zich patriotten noemden, en Lenin, Tsjang-Kai-Chek, keizer Wilhelm, Mussolini, Hitler en Stalin hadden voor hem in het witte engelengewaad gestaan, de duif op de schouder, de palmtak in de hand, en gezegend zij de vrede van de hele wereld. Dana had met Roosevelt gedronken en met de negus gegeten, hij had menseneters en echte heiligen gekend, hij was getuige van alle opstanden, revoluties, burgeroorlogen van onze tijd geweest, en steeds had hij de nederlaag van de mens geconstateerd. De overwonnenen waren hun overwinnaars waard; ze waren enkel een tijdje sympathieker omdat ze de overwonnenen waren. De wereld, waarvan Dana de polsslag had gevoeld, wachtte op zijn memoires, maar het was een geschenk voor de wereld dat hij ze niet schreef – hij zou alleen maar over gruwelen hebben kunnen berichten. Zo zat hij zachtaardig en schijnbaar wijs in Bonn op een schommelstoel (deze had hij deels vanwege het gemak en deels vanwege de symboliek in zijn kantoor gezet) en bekeek wippend de slingerbeweging van de wereldpolitiek vanuit een geringe, maar kritische betrokkenheid. Dit Bonn was Dana's lijftocht; misschien zijn graf. Het was niet zo inspannend als Korea, maar je hoorde ook hier het zaad van het misverstand opkomen, het gras van het onredelijke en van het onherroepelijke groeien. Keetenheuve kende Dana uit de oude tijden van het *Volksblad*. Dana had een reportage van Keetenheuve over de grote Berlijnse verkeersstaking, die nazi's en communisten tot een merkwaardig, verwarrend en zeer explosief eenheidsfront bijeen had gebracht, uit het *Volksblad* in zijn internationale persbureau overgenomen en zo Keetenheuve lezers over de hele wereld gegeven. Later zag Keetenheuve Dana weer in Londen. Dana schreef een boek over Hitler, dat hij als bestseller plande en als bestseller verkocht;

zo bracht zijn afschuw hem veel geld binnen. Keetenheuve was door zijn antipathie voor alles wat bruin was enkel arm en voortvluchtig geworden, en hij bewonderde Dana's ijver niet geheel zonder afgunst en met de kritische restrictie dat Dana's verleidersboek alleen maar een bestseller was, oppervlakkig en handig in elkaar gezet.

Onze-Lieve-Heer was vriendelijk. Hij overhandigde Keetenheuve een vel papier van een persbureau waarmee hij een uitwisseling onderhield. Keetenheuve zag direct het bericht waar het Dana om te doen was, een bericht uit het Conseil Supérieur des Forces Armées, een interview met Engelse en Franse overwinnaarsgeneralen, die, leiders in het geplande Europese leger, in de waarschijnlijke en nu door verdragen te onderbouwen politieke ontwikkeling de vereeuwiging van de Duitse deling zagen en in deze deling de helaas enige winst van de laatste grote oorlog. Deze uitlating was voor de Bondsregering pure dynamiet. Ze zou een aanzienlijk explosieve kracht hebben als ze in het parlement op het juiste moment als bom zou worden geplaatst. Daaraan hoefde niet getwijfeld te worden. Alleen was Keetenheuve geen bommengooier. Maar met dit bericht kon hij Knurrewahn, die ervan droomde de man van de hereniging te worden (en daar droomden velen van), aanmoedigen en vastberaden maken. Maar hadden de kranten het bericht al niet opgepakt en schreeuwend gebracht, zodat de rectificaties van de regering elk handelen vóór waren? Dana ontkende. De West-Duitse pers, dacht hij, zou het interview slechts klein en terloops brengen, zo ze het al zouden doen. De vreugde van de generaals was een te heet hangijzer, een ware stormram voor het regeringsvoorstel, en daarom zou ze hoogstens slecht geplaatst verschijnen, om over het hoofd gezien te worden. Keetenheuve had zijn dynamiet. Maar hij hield niet van explosieven. Alle politiek was vuil, ze leek op gangstersgevechten, en haar middelen waren smerig en verscheurend; zelfs wie het goede wilde, werd gemakkelijk een nieuwe Mefistofeles, die altijd het kwade teweegbrengt; want wat was goed en wat was kwaad op dit gebied, dat zich tot ver in de toekomst uitstrekte, ver in een duister rijk? Keetenheuve keek bedroefd door het open raam naar de weer als damp opspattende regen. Door het raam kwam weer vochtige en warme geur van de aarde en van de planten van een botanische tuin, en bleke bliksemflitsen schoten door de broeikas. Zelfs het onweer leek kunstmatig, een kunst- en amusementsonweer in de restauratieondernemingen van het huis vaderland, en Dana, de zachtmoedige mooie en doorgewinterde grijsaard, was ondanks het dondergerommel wat ingedut. Hij lag in zijn zachtjes schommelende stoel, een wippende waarnemer, een slaper en een dromer. Hij droomde van de godin van de vrede, maar helaas verscheen de godin in zijn droom in de gestalte van Irène, een Annamitisch poetsmeisje, dat Dana ruim vijfentwintig jaar geleden in Saigon had opgezocht, zacht waren haar armen geweest, levendig als snelstromende riviertjes, naar bloesem rook haar huid. Dana sliep in de armen van de vreedzame Irène vreedzaam in, en later had hij bittere pillen te slikken gekregen. Zo was het met de godin van de vrede. Wij spelen. *Wij spelen rover en reiziger rover en reiziger steeds opnieuw steeds opnieuw*

3

Keetenheuve had zich naar zijn kantoor in de nieuwbouw van het parlement, in de aan de pedagodische academie gebouwde vleugel, begeven. De gangen en de kamers van de afgevaardigden waren bedekt met stofvrij in de was gezette linoleum. Ze deden in hun blinkende reinheid denken aan de aseptische afdeling van een kliniek, en misschien was ook de politiek die hier werd bedreven voor het zieke volk steriel. Keetenheuve was in zijn werkkamer dichter bij de hemel, maar niet bij de helderheid; nieuwe wolken, nieuwe donderbuien kwamen opzetten, en de horizon werd in blauwachtige en giftig gele sluiers gehuld. Keetenheuve had, om zich te concentreren, het neonlicht aangedaan en zat, terwijl dagschemering en kunstmatig licht elkaar braken, in het dubbellicht. De tafel lag vol met post, met verzoeken, met hulpkreten; hij lag vol met scheldpartijen en onoplosbare problemen. Onder het neonschijnsel keek Elke hem aan. Het was maar een kleine foto van haar die daar stond, een gelegenheidsfoto met het haar in de war in een straat vol puin (en hem dierbaar, omdat hij haar zo had gevonden), maar nu leek het alsof zij in het neonlicht groot als een flakkerende schaduw op een filmdoek aanwezig was en hem, het haar dit keer sluik geborsteld, met vriendelijke spot bekeek, alsof ze hem toeriep: 'Nu heb je je politiek en je gekrakeel, en van mij ben je bevrijd!' Het deed Keetenheuve pijn haar zo te horen praten, temeer omdat het een stem uit het graf was die tot hem sprak en die niet tegengesproken kon worden. Hij pakte Elke's foto en legde hem weg. Hij voegde Elke bij de stukken. Maar wat betekende dat, bij de stukken? De stukken waren onbelangrijk, en wat belangrijk was, in de stukken vastgelegd of niet, bleef tegenwoordig, was geheel vanzelf aanwezig, tot in de slaap, tot in de droom, tot in de dood. Keetenheuve wijdde zich nog niet aan de post, de verzoeken en de scheldpartijen, niet aan de brieven van beroepsbedelaars, zeurpieten, zakenlui en waanzinnigen, niet aan de schreeuw van de wanhoop – hij zou graag alle brieven aan de afgevaardigde van tafel hebben geveegd. Hij nam een vel van zijn parlementsblok en schreef *Le beau navire*, *De mooie boot*, want aan dit prachtige gedicht ter ere van de vrouw had Elke hem nu doen denken, op die manier moest ze in zijn herinnering voortleven, en hij probeerde de eeuwige verzen van Baudelaire uit zijn geheugen te vertalen, *je veux te raconter, o molle enchanteresse*, ik zal je zeggen, ik zal je vertellen, ik zal je opbiechten…, dat beviel hem, hij wilde Elke opbiechten dat hij van haar hield, dat hij haar miste, hij zocht het juiste woord, de adequate uitdrukking, hij dacht na, hij krabbelde wat neer, hij streepte door, hij verbeterde, hij ging helemaal op in esthetische weemoedige gevoelens. Loog hij? Nee, hij voelde het zo; de liefde zat diep en de droefheid was groot, maar er klonk een ondertoon van ijdelheid en zelfmedelijden in door en de verdenking dat hij zowel een dilettant was in de poëzie als in de liefde. Hij beklaagde Elke, maar hij voelde ook huiver voor de vereenzaming, die hij zijn leven lang had uitgedaagd, en die hem nu helemaal in haar greep had. Hij vertaalde uit de *Bloemen van het kwaad*, *o molle enchanteresse*, mijn zoete, mijn zachte, mijn warme vervoering, *o mijn zacht, vleiend, mijn verrukt woord*; – hij had niemand aan wie hij kon schrijven. Talloze brieven lagen op zijn tafel, geweeklaag, radeloos gestamel en verwensingen, maar niemand verwachtte een brief van hem die niet ging over een verzoek. Aan Elke had Keetenheuve zijn brieven uit Bonn geschreven, en ook al waren ze misschien aan het nageslacht gericht, dan nog was Elke veel meer dan een adres geweest; ze was het medium dat hem liet praten en dat hem contact gaf. Lijkbleek als een verdoemde zat Keetenheuve in het parlementsgebouw, lijkbleke bliksemflitsen spookten voor het raam en boven de Rijn, wolken geladen met elektrici-

teit, geladen met de uitlaat van de schoorstenen van het industriegebied, dampende bezwangerde sluiers, gasachtig, giftig,
zwavelgeel, de naargeestige ongetemde natuur trok klaar voor
de storm over dak en muren van de broeikas en floot minachting
en hoon voor het overgevoelige schepsel, voor de rouwende
man, de Baudelaire-vertaler en afgevaardigde in het neonbad
achter het glas van het raam. Zo ging de tijd voorbij, tot Knurrewahn hem liet roepen.

Ze leefden in symbiose, in het samenleven van ongelijke
wezens tot wederzijds voordeel; maar ze waren er niet zeker
van of het hun geen schade berokkende. Knurrewahn had kunnen zeggen dat zijn ziel door Keetenheuve er onder leed. Maar
Knurrewahn, die zichzelf voor de Eerste Wereldoorlog had ge-
schoold en zich had volgepropt met een toen al niet meer geheel
nieuwe literatuur over de natuur, vol geloof in de toekomst (de
wereldraadsels schenen opgelost te zijn, en nadat hij de onredelijke God had verdreven, hoefde de mens alleen nog maar alles objectief te ordenen), ontkende het bestaan van de ziel. Zo
was het onbehaaglijk gevoel dat hij door Keetenheuve kreeg te
vergelijken met de ergernis die een gewetensvolle onderofficier
voelt over een rekruut die net van de middelbare school komt en
het exercitiereglement niet begrijpt, erger nog, het niet serieus
neemt. Helaas had het leger deze rekruten nodig en had de partij Keetenheuve nodig, die (dit besefte Knurrewahn) misschien
zelfs geen officier, geen aspirant-officier was, maar gewoon een
oplichter, een vagebond, die om de een of andere reden, misschien vanwege zijn arrogant gedrag, werd beschouwd als een
officier. Hier vergiste Knurrewahn zich; Keetenheuve was niet
arrogant, hij was onconventioneel, en dat leek Knurrewahn de
voltooide vorm van arrogantie, en zo was hij het uiteindelijk
toch die Keetenheuve als de officier beschouwde, terwijl deze
zelf zonder meer zou hebben toegegeven, zo maar iets, misschien een landloper te zijn. Hij respecteerde Knurrewahn, die
hij een meester van de oude stempel noemde, wat niet zonder
spot, maar niet hatelijk bedoeld was, terwijl de uitdrukking

in Knurrewahns oren, hem overgebriefd, weer ergerlijk aan-
matigend klonk. Hij was echter werkelijk een man van de oude
stempel, een handwerker uit een handwerkersfamilie, die vroeg
naar kennis, vervolgens naar gerechtigheid en later, omdat kennis en gerechtigheid zich ontpopten als onzekere begrippen,
moeilijk te bepalen en steeds betrokken op onbekende grootheden, naar heerschappij en macht had gestreefd. Ook Knurrewahn wilde de wereld niet zozeer zijn wil opleggen, maar hij
zag zichzelf als de man die haar ten goede moest keren. Hiervoor had hij medestrijders nodig en was bij Keetenheuve terechtgekomen, die hem niet aanmoedigde, maar in de war
bracht. Keetenheuve was geen vierde man bij het skaat en geen
bierdrinker, en dat sloot hem buiten de mannenkliek die zich
's avonds rond Knurrewahn verzamelde, mannen die de bierpul
hieven en de kaarten op tafel sloegen, mannen die het lot van de
partij bepaalden, met wie echter geen staat te maken en zelfs
geen hond te lokken was.

Knurrewahn had veel meegemaakt; maar hij was niet wijs geworden. Zijn hart was goed geweest; nu was het verhard. Hij
was uit de Eerste Wereldoorlog teruggekeerd met een kogel in
zijn lichaam en had tot verbazing van de artsen verder geleefd;
dat was in een tijd geweest dat de medici nog niet wilden geloven dat je met een kogel in het hart verder kon leven, en Knurrewahn was als levend lijk van kliniek naar kliniek getrokken, totdat hij verstandiger dan zijn artsen was geworden, een
functie in zijn partij aannam en zich door taaie vlijt en een beetje met behulp van de wonderbaarlijke kogel in zijn lichaam,
waarop verkiezingsaffiches mee werd gepronkt, tot Rijksdagaf-
gevaardigde opwerkte. In negentienhonderddrieëndertig gooiden frontsoldaten met een beroep op het frontkameraadschap
Knurrewahn, die de frontervaring van lood in het hart droeg, in
het kamp. Zijn zoon, bestemd om de vooruitgang van zijn familie academisch verder te brengen, ging weer volgens oud fami-
liegebruik in de leer bij een meubelmaker, en verbitterd over de
declassering en uit koppigheid tegen zijn vader, die politiek nu

eenmaal helaas verkeerd zat, en in de waan aan verwachtingen
te moeten voldoen (want overal in het land werd vreselijk aan
verwachtingen voldaan), meldde hij zich aan bij het Legion
Condor voor Spanje waar hij als wacht sneuvelde. Ook Keetenheuve had eraan gedacht zich voor Spanje te melden, ook hij om
daar aan verwachtingen te voldoen, maar aan de andere kant
(hij had het niet gedaan, en hij maakte zichzelf af en toe nog
verwijten ook hier tekortgeschoten te zijn), en het zou gemakkelijk zo kunnen zijn gegaan dat Keetenheuve vanuit een lucht-
afweerpositie rond Madrid Knurrewahns zoon uit de zuidelijke
hemel had geschoten. Zo kriskras en midden door de landen
liepen de fronten, en de meesten die daar vlogen of schoten,
wisten helemaal niet meer hoe zij juist aan die kant van het front
waren terechtgekomen. Knurrewahn begreep dat nooit. Hij was
een nationale man, en zijn oppositie tegen de nationale politiek
van de regering was om zo te zeggen Duitsnationaal. Knurrewahn wilde de bevrijder en herener van het verscheurde vaderland worden, hij zag zichzelf al als Bismarckmonument in
de Knurrewahnparken staan en vergat ondertussen de oude
droom, de Internationale. In zijn jeugd had deze Internationale
met rode vlaggen nog voor de mensenrechten gestaan. In ne-
gentienhonderdveertien was ze gestorven. De nieuwe tijd sloot
zich niet bij haar aan, die marcheerde achter geheel andere
vlaggen aan, en wat er nog was en zich Internationale noemde,
dat waren verenigingen met rangtelwoorden achter de trotse
namen, afsplitsingen, sektes, die geen toonbeeld van vrede waren, maar voor de hele wereld het gekrakeel symboliseerden,
doordat ze voortdurend heftig met elkaar overhoop lagen. Misschien was Knurrewahn daarom terecht bang voor een oude
fout. Volgens zijn mening was de partij in de eerste Duitse republiek niet nationaal genoeg opgetreden; ze had in de al verscheurde Internationale geen ondersteuning gevonden, en in de
natie had ze de massa's verloren, die de duidelijke leuzen van het
primitieve nationale egoïsme volgden. Dit keer wilde Knurrewahn zich niet de nationale wind uit de zeilen laten nemen.

Hij was voor een leger, een verbrand kind mijdt niet altijd het vuur, maar hij was voor troepen van patriotten (de grote Franse Revolutie bond hem het doek van de dwaasheid voor de ogen, en Napoleon was misschien alweer geboren), hij was voor generaals, maar ze moesten sociaal en democratisch zijn. Nar, dacht Keetenheuve, de generaals, deze, wanneer het om hun carrière ging, helemaal niet domme, deze gehaaide broeders zouden Knurrewahn een mooie komedie voorspelen, die beloofden hem alles, die kropen voor hem door het stof, die wilden hun staven bij elkaar krijgen, hun ranglijsten opstellen en hun zandkastelen bouwen. Wat dan volgde, wist niemand. Kleermakers wilden naaien. En met de nationale opleving lag het toch al moeilijk. Deze wind was misschien zelfs gaan liggen, de nationale regering, slimmer, sluwer, zeilde een beetje met de internationale bries mee, en Knurrewahn zat in de windstilte wanneer hij nationaal wilde opstomen in plaats van misschien internationaal de wedstrijd te winnen, een wedstrijd met het zeil van nieuwe idealen naar nieuwe oevers. Hij zag ze helaas niet. Hij zag noch de nieuwe idealen, noch de nieuwe oever. Hij inspireerde niet, omdat niets hem meer inspireerde. Hij leek op de brave burgers uit een goedkope vaderlandslievend sociale pamflettenliteratuur, hij wilde een van hysterie en immoraliteit gezuiverde Bismarck zijn, een Arndt, een Stein, een Hardenberg en een beetje een Bebel. Lassalle was een portret van de afgevaardigde als jonge man. De jonge man was dood; hij had de artsen gelijk gegeven en de kogel in zijn hart niet overleefd. Vandaag de dag stond Knurrewahn de slappe hoed die hij niet droeg. Hij ging eigenzinnig tekeer, niet alleen bij het skaat, ging eigenzinnig tekeer als de Brandenburgse soldatenkoning en als de oude Hindenburg, en zo liep ook in het politieke leven alles wild door elkaar, de winden waaiden kriskras door de partijen, en alleen weerkaarten die niemand begreep, raadselachtige verbindingslijnen tussen punten van dezelfde warmte (die ver van elkaar verwijderd konden liggen) lieten de fronten zien en waarschuwden tegen de depressie en tegen de storm. In zo'n toestand wist Knurrewahn de weg niet meer, en hij klampte zich vast aan Keetenheuve (de Mefistofeles van de goede wil), zodat hij onder de sterrenloze bedekte hemel het bestek zou opmaken en bij nacht en ontij de koers van het scheepje zou bepalen.

Knurrewahn had zijn kamer progressief ingericht, in een stijl die hij als radicaal beschouwde en die overeenkwam met de opvattingen van een degelijk kunsttijdschrift. De meubels waren praktisch, de stoelen gemakkelijk; meubels, stoelen, lampen en gordijnen deden denken aan het etiket 'Moderne Kamer van de Chef' in de etalage van een binnenhuisarchitect van de gematigd moderne richting, en de door de secretaresse gekochte en verzorgde bos rode bloemen stond precies waar hij hoorde, onder het in krachteloze kleuren geschilderde Weserlandschap. Keetenheuve vroeg zich af of Knurrewahn in zijn stoel af en toe indianenverhalen zou lezen, maar de fractieleider had geen tijd voor privé-lectuur. Hij luisterde naar Keetenheuve's relaas, en met de generaals van de Conseil Supérieur des Forces Armées betraden glorie en valsheid zijn kamer, arrogantie en perfiditeit van de slechte wereld, hij zag de buitenlandse militairen in rijlaarzen met zilveren sporen over het tapijt van Duitse garen schrijden, de Fransen met koket rode pofbroeken en de Engelsen met kleine stokjes, klaar om op de tafel te trommelen. Knurrewahn was verontwaardigd. Hij werd woedend, terwijl Keetenheuve de uitspraak van de generaals over de vereeuwiging van de Duitse deling als een schamele winst van de laatste oorlog vanuit het specialisme van de heren begrijpelijk vond, het oordeel van de vakman was altijd begrensd, en het ging hier om een mening van generaals, die toch al een beperkt verstand hebben. Knurrewahn deelde deze visie niet; op hem maakten generaals indruk, die voor Keetenheuve niet meer betekenden dan brandweermannen. Bij Knurrewahn brandde de kogel in zijn hart, brandde het met zijn vlees vergroeide lood, en het was jongelingenverdriet dat hem weer tot leven bracht en verjongde. Hij haatte. Het was bovendien een haat, die de leider van een sociale vredespartij zich mocht veroorloven, hij haatte in tweevoud en was zo dubbel gelegitimeerd en gedekt, hij haatte de landsvijand en de klassenvijand, die dit keer in een en dezelfde persoon zijn woede opriepen. Eigenlijk was het de in zijn oren arrogant klinkende benaming van hun genootschap, was het de uitdrukking Conseil Supérieur des Forces Armées, die Knurrewahn irriteerde en die Keetenheuve hem met opzet elegant had voorgehouden zoals een torero de rode lap voor de stier.

Keetenheuve hield ervan Knurrewahn zo opgewonden te zien. Wat een schitterende man was het toch, met zijn brede schedel, en hij had vast en zeker in zijn bureau beschaamd in een blikken doosje het IJzeren Kruis en de Onderscheiding wegens Opgelopen Verwondingen uit de Loopgravenoorlog liggen, misschien gewikkeld in de ontslagbrief uit het concentratiekamp en de afscheidsbrief van de zoon, voordat deze naar het Legion Condor ging en sneuvelde. Maar nu moest Keetenheuve oppassen dat Knurrewahn niet met hem op de loop ging. De partijleider wilde het interview met de generaals, de Duitse mening van de leiders van het Europese leger, aan de grote klok hangen. Hij wilde de woorden *Eeuwige Deling* op de muren laten slaan en zich zo tot het volk wenden: 'Kijk, we zijn verraden en verkocht, daar loopt de politiek van de regering op uit!' Zo'n actie betekende echter dat de bom voor het parlement onschadelijk werd gemaakt; ze zou de kanselier de rectificaties of steunbetuigingen van de Europese regeringen opleveren, nog voordat de kwestie ook maar in de algemene vergadering ter sprake kwam, en gemeen en perfide zou uiteindelijk enkel de boodschapper genoemd worden. Van de mogelijke opwinding onder het volk was niet veel te verwachten; de regering zou zich door de volksmening niet tegen laten houden. Knurrewahn dacht dat de uitspraken van de generaals, die zich in een Conseil Supérieur zo verheugd over de Duitse deling hadden uitgelaten, niet zo maar herroepen konden worden, maar Keetenheuve wist dat de staatsmannen in Engeland en Frankrijk hun generaals zouden corrigeren. Ze zouden hen tot de orde roepen, want (hier was Keetenheuve op zijn beurt vooringenomen) buitenlandse generaals lieten zich terechtwijzen, ze waren staatsdienaars – weliswaar geen sympathieke – terwijl Duitse generaals direct weer de feitelijke macht in de staat belichamen en de hun natuurlijk lijkende orde, het primaat van het militaire over het politieke, tot stand zouden brengen. De Duitse generaal werd door Keetenheuve als een plaag voor het Duitse volk beschouwd, en aan deze mening veranderde ook het respect dat hij voor de door Hitler vermoorde generaals voelde niets. Hij verafschuwde de oude dienstkoppen, die met het gezicht van vaderlijke burgermannetjes de volwassen burgers van de staat met 'mijn jongens' of 'mijn zonen' durfden aan te spreken, om vervolgens deze jongens en zonen het machinegeweervuur in te jagen. Keetenheuve had het volk aan de generaalsziekte zien lijden en sterven; en wie, zo niet de generaals, hadden de *Braunauer Bacil* vetgemest! Het geweld had altijd alleen maar ongeluk gebracht, alleen maar nederlagen, en Keetenheuve koesterde hoge verwachtingen van de geweldloosheid, die, zo niet het geluk, dan toch minstens de morele overwinning veilig moest stellen. Of dat dan de beroemde eindoverwinning was? Zo was Keetenheuve met Knurrewahn, die oprecht droomde van een Duits volksleger en een Duitse volksgeneraal die, een eenvoudige sportieve man in grijs bergbeklimmerstenue, met zijn soldaten dezelfde soep at die hij ook, steeds een goede zorgzame vader, met zijn gevangenen zou delen, op dit punt alleen maar op de lange termijn verbonden. Hij wilde dat niemand meer gevangen werd genomen, en zo had hij Knurrewahn nodig om oppositie te voeren tegen het legeridee van de kanselier, maar de dag zou komen waarop hij zich tegen de nog veel gevaarlijker volkslegerplannen van zijn vriend moest keren. Keetenheuve was voor zuiver pacifisme, voor een definitief Weg-Met-De-Wapens! Hij wist welke verantwoordelijkheid hij op zich nam, ze bedrukte hem en hield hem uit zijn slaap, maar ook al zag hij zichzelf zonder bondgenoten, zonder vriend in West en Oost en miskend zowel hier als daar, de geschiedenis scheen hem te leren dat het afzien van wapen en geweld nooit tot zo'n kwaad kon leiden als de toepassing ervan. En wanneer er geen legers meer waren, zouden de grenzen wegvallen; van de in het tijdperk van de vliegtuigen compleet belachelijk geworden soevereiniteit van de landen (men vloog door het geluid, maar respecteerde door waanzinnigen in de lucht bedachte corridors) zou afstand worden gedaan en de mens zou vrij en ongebonden, ja waarlijk vogelvrij zijn. Knurrewahn gaf toe. Hij had weliswaar de indruk dat hij te vaak en te veel toegaf, maar hij gaf weer toe, damde zijn woede in, en ze besloten dat Keetenheuve de kleine overwinningsrede van de generaals in het debat over de veiligheidsverdragen verrassend zou citeren.

Hij ging terug naar zijn kamer. Hij ging weer in het neonlicht zitten. Hij liet de buizen aan, hoewel de lucht nu helder en onbewolkt was en de zon alles even in een verblindend licht dompelde. De Rijn flikkerde. Een plezierboot wiekte wit in het opspattende schuim van zijn waterraderen voorbij, en de passagiers wezen naar het parlementsgebouw. Keetenheuve was verblind. De vertaling van *Beau navire*, *Mooie boot*, bleef onvoltooid tussen de ongeopende brieven liggen, en er waren alweer nieuwe bijgekomen, nieuwe schrijfsels, nieuwe noodkreten, nieuwe klachten, nieuwe grieven, nieuwe verwensingen voor mijnheer de afgevaardigde, dat stroomde als buiten het water van de rivier, door brievenbestellers en bodes trouw geschept, op de tafel en er kwam geen eind aan. Keetenheuve was de geadresseerde van een natie van brievenschrijvers; het zoog hem leeg, en alleen de intuïtie van het moment redde hem van deze stroom waarin hij anders dacht te stikken. Hij ontwierp de redevoering die hij in de plenaire vergadering zou houden. Hij zou schitteren! Een dilettant in de liefde, een dilettant in de poëzie en een dilettant in de politiek – hij zou schitteren. Van wie moest het heil anders komen dan van een dilettant? De deskundigen marcheerden op oude wegen naar de oude woestenijen. Ze hadden nog nooit ergens anders naartoe geleid, en alleen de dilettant keek tenminste naar het Beloofde Land uit, naar het rijk waarin melk en honing zouden vloeien. Keetenheuve schonk een cognac in. De gedachte dat ergens honing zou vloeien stond hem niet aan. Ook de beschrijving van het Beloofde Land mocht men niet letterlijk nemen; daarom vonden de kinderen het ook niet, werden moe, groeiden op en vestigden zich als advocaten gespecialiseerd in het belastingrecht, wat alles over de toestand van de wereld zegt. Uit het paradijs was men verdreven. Dat stond vast. Was er een weg terug? Te zien was nog niet het smalste pad, maar misschien was het onzichtbaar, en misschien waren er miljoenen en nog eens miljoenen onzichtbare paadjes, die constant vóór iedereen lagen en er enkel op wachtten begaan te worden. Keetenheuve moest volgens zijn geweten handelen; maar ook het geweten was even weinig te zien en te pakken als de juiste weg, en slechts af en toe dacht je het te horen kloppen, wat dan weer met circulatiestoornissen kon worden verklaard. Het hart sloeg onregelmatig, en zijn handschrift op het gladde parlementspapier krulde. Frost-Forestier belde op en vroeg of Keetenheuve met hem wilde eten. Hij zou hem zijn wagen sturen. Was het de oorlogsverklaring? Keetenheuve had het gevoel van wel. Hij nam de uitnodiging aan. Het was zo ver. Ze wilden zich van hem ontdoen. Ze wilden hem het pistool op de borst zetten, hem chanteren. Mergentheim had het al geweten. Oké, hij zou vechten. Hij liet de brieven, hij liet de stukken, hij liet de Baudelaire-vertaling, zijn notities voor het debat en het vel van de nieuwsdienst dat Dana hem had gegeven, hij liet alles open in het neonlicht liggen, dat hij vergat uit te doen, want de zon scheen nog en werd gebroken in duizend prisma's in de spiegel van de rivier en in de waterdruppels op de groene bladeren in de toppen van de bomen. Het lichtte, scheen, glinsterde, fonkelde, schitterde.

De automobielen van de regering zien eruit als ambtelijke zwarte doodskisten, ze hebben iets fantasieloos betrouwbaars, hebben een compacte constructie, kosten veel, hebben toch de naam solide en zuinig, en bovendien representatief te zijn, en ministers, parlementsleden en ambtenaren voelen zich in gelijke mate tot soliditeit, tot zuinigheid en tot representativiteit aangetrokken. Frost-Forestiers kantoor lag buiten de stad, en Keetenheuve werd solide, zuinig en representatief door kleine Rijndorpjes gereden, die vervallen waren, zonder historisch, nauwstegig, zonder romantisch te zijn. De dorpen zagen er verwaarloosd uit, en Keetenheuve vermoedde achter de afbrokkelende muren mismoedige mensen; misschien verdienden ze te weinig; misschien gingen ze gebukt onder lasten; misschien ook waren ze alleen maar daarom mismoedig en verwaarloosden ze hun huizen omdat zo veel zwarte wagens met belangrijke persoonlijkheden voorbijreden. En tussen de oude, vervallen dorpen, verloren, eenzaam, verspreid, op koolakkers, braaklanden en onvruchtbare weides stonden de ministeries, de kantoren, de bestuursgebouwen, ze gingen schuil in oude Hitlerbouwwerken, schreven hun stukken achter zandfaçades van Speer en kookten hun soepjes in oude kazernes. Degenen die hier hadden geslapen, waren dood, die men hier had verminkt, waren gevangengenomen, ze hadden het vergeten, ze hadden het achter zich, en wanneer ze in leven en vrij waren, maakten ze zich druk om pensioenen, joegen op baantjes – wat viel er anders voor hen te doen? Het was de regeringswijk van een regering in ballingschap waardoorheen Keetenheuve in de regeringsauto reed, wachten hielden de wacht achter zinloos in het open land geplaatste afrasteringen, het was een gouvernement dat was aangewezen op gastvrijheid en welwillendheid, en Keetenheuve dacht: het is een grap dat ik niet tot de regering behoor; het zou mijn regering zijn – verstoten uit de natie, verstoten uit het natuurlijke, verstoten uit het menselijke (toch droomde hij van de broederschap van de mensen). Ook geüniformeerden liepen op straat naar Frost-Forestier. Ze hadden hun onderkomen in de buurt; maar ze gingen afzonderlijk voorwaarts met de tred van de staatsfunctionarissen en marcheerden niet in troepen zoals echte soldaten. Waren het parate eenheden, waren het West-Duitse grenswachten? Keetenheuve wist het niet; hij was vastbesloten tegen elke rang, zo hij deze moest identificeren, 'mijnheer de houtvester' te zeggen.

Frost-Forestier zat in een oude kazerne en heerste over een leger; weliswaar een leger van secretaresses, dat hij niet tot rust liet komen. Hier werd in Stachanowtempo gewerkt, en Keetenheuve werd duizelig toen hij zag hoe een secretaresse tegelijkertijd twee telefoons bediende. Welke grappen voor kinderen waren hier mogelijk en welke partners kon men met elkaar verbinden! Wanneer de natie naar Keetenheuve schreef dan telefoneerde de wereld met Frost-Forestier. Was Parijs aan de lijn, Rome, Cairo, Washington? Werd er al uit Tauroggen gebeld? Wat wilde die obscure persoon uit Bazel aan de draad? Had hij zich vastgepraat? Of zongen handelspartners, die in Bonn in Hotel Stern zaten te wachten, hun lied uit de telefoonschelp in de oorschelp van de dames? Het rinkelde, tinkelde, zoemde in majeur en mineur, een voortdurend armezondaarsgerinkel, een onophoudelijk biechtstoelgefluister, en steeds opnieuw fluisterden de meisjesstemmen, 'nee, de heer Frost-Forestier betreurt, de heer Frost-Forestier kan niet, ik zal het de heer Frost-Forestier zeggen' – de heer Frost-Forestier had geen officiële titel.

De veelgevraagde liet de gast niet wachten. Hij kwam meteen, begroette Daniel in de leeuwenkuil en nodigde hem uit voor het Casino. Keetenheuve kreunde. De vijand rukte met zware wapens aan. Het Casino, een schuurachtige ruimte, waarin het penetrant naar ransig vet, heet naar verbrande meel rook, was berucht. Er was Duitse Beefsteak Esterhazy met puree, gehaktballen in bonenschotel met puree, ribbetjes in zuurkool met puree, en helemaal onderaan de menukaart stond 'Schnullers fijnproeverssoepen geven elke maaltijd een feestelijk tintje'. Het was tactiek van Frost-Forestier (een goedkope tactiek) de afgevaardigde, wiens gourmandiseneigingen bekend waren, mee te vragen naar het Casino. Hij wilde Keetenheuve herinneren aan de armoedige schotels waartoe je kon vervallen. Links en rechts zaten aan met zeiltjes beklede tafels secretaresses en functionarissen en aten de Duitse Beefsteak Esterhazy. Wat heeft Esterhazy de koks aangedaan, dat ze alle verbrande uiengerechten naar hem noemen? Keetenheuve zou ernaar informeren. Frost-Forestier leverde twee blikken marken voor hun eten in. Ze bestelden maatjesharing met groene bonen, speksaus en aardappelen. De maatjes waren oude bewoners van zouttonnen. De speksaus was zwart en had slijmerige meelklompen. Ook de aardappelen waren zwart. Frost-Forestier liet het zich goed smaken. Hij at de haring op, stampte de zwarte aardappelen fijn in de zwarte saus en liet ook van de strodunne bonen niets op het bord over. Keetenheuve was verbaasd. Misschien zag hij alles verkeerd en at Frost-Forestier niet met smaak en was hij geen mens; misschien was hij een supermachine, een geraffineerd geconstrueerde allesetermotor, die zich op gezette tijden met brandstof moest vullen en in die noodzakelijkheid geen genoegen zag. Terwijl hij zich volpropte, vertelde hij verhalen over de klassenstrijd en over de hiërarchie op de departementen en wees onbevangen naar de voorbeelden die om hen heen zaten. De ambtenaar belast met het staal praatte buiten diensttijd niet met de afdelingschef voor gietijzer, en de jongedame die in het Engels stenografeerde at de ribbetjes met zuurkool en puree niet aan de tafel van het arme kind dat alleen maar het Duitse snelschrift had geleerd. Maar zelfs hier werd schoonheid begeerd en geprefereerd, en Frost-Forestier vertelde over Trojaanse oorlogen die tussen de afdelingen ontvlamden wanneer de personeelschef een knap meisje in de aanbieding had, en Helena mocht, benijd, bestreden, met de verslaggever voor veldschade gehaktballen met puree oppeuzelen. *Ook een hermafrodiet een lieftallige was er te zien.*

Wat was er? Het deed hem aan een zanger denken, aan een fluisteraar. *Een hermafrodiet een lieftallige. Waar was dat? Aan de zee, op het strand? Vergeten. Sagesse, een gedicht van Verlaine. Wijsheid, mooi en melancholiek. Ik kus uw hand, madame. Een zanger. Vrouwelijk. Strandgoed. Ik kus uw hand. Fluisteraar. Hoe heette hij? Paul. Kus Uw hand, mijnheer Paul. Monsieur Frost. Frost-Forestier, de maatjesmotor, speksaussupermachine. Het denkelektron. Tweebandrecordersman. Staalgymnast. Mannelijk. Rustig membrum. Wat wil hij? De haring wordt afgeruimd. Arme vis.*

Weduwnaar. In het zout gelegd. Frost–Forestier vrijgezel. Passieloos. Onomkoopbaar. Frost–Forestier de onomkoopbare. Robespierre. Geen grote revolutie. In de verste verte niet. Voelt het aan zijn water. Wat? Een kitteling? Gevaarlijk leven. Lult met soldaten. Lulpraatjes. Informeert obscure personen. Vijand brandstofverspiller luistert mee. Duistere etherjungle. Gelul. Pist golven in de ether. Gelul. Hakenkruis aan de muur. De belangenbehartigers. Kennen hun referenten. Bockbier. Pis. Hij zei: 'Is hier iets te drinken?' *Nee, er was niets. Niet voor hem. Koffie en limonade. Koffie versnelt de hartslag. Ging niet. Klopte al versneld. Klopte al in de keel. De slappe limonade van de evolutie opborrelend en oprispend. Wat dan?* Frost-Forestier bestelde een koffie. *Wat dan?* Wat wilde hij?

Frost-Forestier vroeg hem wat. Hij keek hem aan. 'Kent u Midden-Amerika?' vroeg hij. Hij voegde eraan toe: 'Een interessant land.' *Nee mijn slang niet uit de peperbosjes, zou het toch geweten hebben wanneer ik daar zou zijn geweest, zou het bij de stukken hebben gehad. Helpt je niets. Ik help je niet. Nu helpt alleen weer de Britse majoor. Sir Felix Keetenheuve, commander, member of parliament, royal officers club, gooide bommen op Berlijn.*

'Nee, ik was niet in Midden-Amerika. Ik had eens een Hondurese pas, als u daarop zinspeelt. Die heb ik gekocht. Dat kon. Ik mocht me met de pas overal vertonen, behalve in Honduras.' *Waarom vertel ik hem dit? Een kolfje naar zijn hand. Geeft niets. Keetenheuve paspoortvervalser. Ik vertoonde me in Scheveningen. Weet je, de zee, het strand, de zonsondergangen? Ik zat voor café Sport, en de zanger ging naast me zitten. Hij ging naast me zitten omdat hij alleen was, en ik liet hem bij me zitten omdat ik alleen was. De jonge meisjes liepen voorbij, Prousts 'jeune filles en fleurs' van het strand van Balbeck. Albertine, Albert. De jonge mannen liepen voorbij. Meisjes en jongelingen flaneerden over de boulevard, ze zwommen door het avondlicht, hun lichamen gloeiden, de ondergaande zonnebal fonkelde door hun dunne kleren. De meisjes staken hun borsten vooruit. Wie waren ze? Verkoopsters, studentes, modistes. De kappersleerling van het Haagse Plein. Zij was slechts verkoopster in een schoenwinkel – ook dat had de zanger in zijn goede tijd op de grammofoonplaat gefluisterd, zacht en aanstellerig. Hij werd omgebracht. We keken de meisjes en de knapen na, en de zanger zei: ze zijn geil als boter.* Wat was er? Hij moest zich beheersen, hij had niet geluisterd. Frost-Forestier praatte niet meer over Midden-Amerika, hij had het over Keetenheuve's partij, die tot nu toe tekortgekomen was bij de verdeling van de diplomatieke posten, nou ja, ook de regering moet begrijpelijkerwijs allereerst aan haar vrienden denken, weliswaar is het niet altijd terecht zo te handelen, anderzijds zitten er in Keetenheuve's groep geen geschikte lui, en wanneer er een te vinden zou zijn, nou ja, kortom, Frost-Forestier polste, hij liet zien wat hij bekokstoofd had, nog was alles inofficieel natuurlijk, de kanselier wist niets, maar hij zou er vast en zeker zijn fiat aan geven – Frost-Forestier bood Keetenheuve het gezantschap in Guatemala aan. 'Een interessant land,' herhaalde hij. 'Iets voor u! Interessante mensen. Een linkse regering. Maar geen communistische dictatuur. Een republiek van mensenrechten. Een experiment. U zou de geschikte man zijn om de ontwikkeling voor ons te observeren en de betrekkingen te onderhouden.'

Keetenheuve gezant Keetenheuve excellentie. Hij was overdonderd. Maar de verte lokte hem, en misschien was het de oplossing van alle problemen. Al zijn problemen! Het was een vlucht. Het was weer een vlucht. Het was de laatste vlucht. Ze waren niet dom. Maar misschien was het ook de vrijheid; en hij wist dat het de pensionering was. *Keetenheuve staatsgepensioneerde.* Hij zag zichzelf in Guatemala-Stad vanaf de met zuilen versierde veranda van een Spaans huis de onder de zon gloeiende stoffige straat, de met stof bedekte palmen, de van het stof zware verdorde cactussen gadeslaan. Waar de straat zich tot het plein verbreedde, dempte het stof in het park de obscene kleuren van de koffiebloesem, en het monument van de grote Guatemalteek leek in de hitte te smelten. Luxueuze geruisloze automobielen, knetterende vuurrode motorfietsen sprongen uit de zonnenevel, reden voorbij en losten als visioenen in de schittering weer op. Het stonk naar benzine en naar bederf, en af en toe knalde een schot. Misschien was het de redding, misschien was het de kans oud te worden. Hij zou jaren op dit met zuilen versierde terras vertoeven en jaren de hete stoffige straat gadeslaan. Hij zou met grote tussenpozen een bericht naar huis sturen dat niemand zou lezen. Hij zou eindeloos veel bitter gasachtig sodawater drinken, en 's avonds zou hij de rottige smaak van het water met rum mengen. Hij zou de vertaling van *Beau navire* voltooien, hij zou in onweersnachten met Elke praten, misschien ook de brieven aan de afgevaardigde beantwoorden, waar niemand meer iets aan had, en op een dag zou hij sterven – op het regeringsgebouw van Guatemala en voor de Spaanse veranda's van de andere diplomatieke delegaties zal de vlag halfstok worden gehangen. *Excellentie Keetenheuve de Duitse gezant zacht ontslapen.*

Frost-Forestier drong aan. Zijn secretaresses riepen hem, zijn telefoontoestellen, zijn magnetofonen. Keetenheuve zweeg. Was de spek niet vet genoeg? Was de muis nog bang voor de val? Frost-Forestier vermeldde nog dat Keetenheuve als gezant ook in de diplomatieke dienst was opgenomen. Wat een vooruitzichten! Als Keetenheuve's partij bij de verkiezingen won, was Keetenheuve minister van Buitenlandse Zaken. 'En wanneer er weer van regering wordt gewisseld, wordt u onze ambassadeur in Moskou!' Frost-Forestier geloofde niet in een verkiezingsoverwinning van de oppositie.

Keetenheuve zei: 'Ik zou persona non grata zijn.'

Frost-Forestier glimlachte meesmuilend: 'Misschien werkt de tijd in uw voordeel.' Voelde hij het weer aan zijn water? Kwamen ze nog bij elkaar?

Hij liep terug naar zijn kazerne, terug naar de tjilpende monden van zijn secretaresses, naar de zoemende draden, naar de geheimzinnige draadloze toenadering vanuit de lucht. Keetenheuve liet zich naar Godesberg rijden, naar de stad van de, naar men zei, vijftig gepensioneerde burgemeesters, die allemaal nu één enkel groot voorbeeld nastreefden en als Morgensterns Polyp onderkend hadden waartoe zij op de wereld waren gezet, tot staatsbestuur natuurlijk, en ze oefenden hiervoor aan de gezinstafel. Boven de tulband werd al onzichtbaar de eredoctorshoed opgezet. Als hij naar Guatemala ging, zou men Keetenheuve misschien een zwarte regeringsauto meegeven, misschien zelfs het nieuwe model, waarbij de representativiteit helemaal over de zuinigheid had gezegevierd. Keetenheuve begaf zich naar Godesberg, omdat hij na de zoute haring en de . – hoewel inofficiële – benoeming tot excellentie als een diplomaat wilde eten, en waar kon je dat beter doen dan op het beroemde Rijnterras van de grote diplomatieke blamage? Hij was alleen in de zaal, alleen op het tapijt, het tapijt was nieuw; misschien had de *Führer* de oude pers bij het ontbijt opgegeten, omdat Chamberlain en de heren van het Foreign Office waren ·verlaat en zijn neurasthenie niet tegen wachten kon. Vandaag de dag mochten managers hier op verhaal komen. De *Führer* was een verkeerde investering geweest, of was hij dat niet geweest? Een dilettant moest niet oordelen. Misschien was de redder rendabel geweest. Hoeveel miljoen doden? De schoorstenen roken. De steenkool wordt gevraagd. De hoogovens branden. Wit gloeit het staal. Ook Keetenheuve zag eruit als een manager. Hij had zijn aktetas bij zich; de belangrijke aktetas van de afgevaardigde. Gedichten van Cummings, Verlaine, Baudelaire, Rimbaud, Apollinaire – ze zaten in zijn hoofd. *Keetenheuve manager, Keetenheuve excellentie, Keetenheuve sir, Keetenheuve verrader, Keetenheuve de man die het goede wil.* Hij liep het terras op. Hij ging aan de Rijn zitten. Vier kelners sloegen hem gade. Nevel. Onweersnevel. Broeikaslucht. Zonneglans. De ramen van de broeikas waren slecht gelapt; de ventilatie functioneerde niet. Hij zat in een vacuüm, omgeven door de nevel, overwelfd door de hemel. Een lagedrukkamer voor het hart. Vier kelners kwamen langzaam dichterbij; doodsbodes, plechtig in rok, een eerste opwachting, een offerte? 'Een cognac, alstublieft.' Een cognac montert op. 'Een cognac Monnet!' Wat drijft er op de Rijn? Staal, steenkool? De vlaggen der naties boven zwarte aken. Diep in de stroom gekist, in de bedding van nieuwe legendes zwemmend, legendarische balansen, de volkssprookjes van de afschrijvingen, het goederenkapitaal onaangetast, omwisseling een tegen een, steeds er goed vanaf gekomen, het ijzererts, de steenkool, van smelterij naar smelterij, van het Roergebied naar Lotharingen, van Lotharingen terug naar het industriegebied, jullie Europa, mijne heren *bezoekt de kunstschatten van Villa Hügel*, en de slipjes van de Rijnschippersvrouw, slipjes van Woolworth uit Rotterdam, slipjes van Woolworth uit Düsseldorf, slipjes van Woolworth uit Bazel, slipjes van Woolworth uit Straatsburg, de slipjes hangen aan de lijn boven het dek, bungelen in de westenwind, de machtigste vlaggen ter wereld, roze rozerood boven de verraderlijke steenkool. Een keeshondje, wit en energiek, een keeshondje, erg met zichzelf ingenomen, trippelkwispelt het dek op en neer. Aan de overkant geeuwt op de andere oever de siësta van de gepensioneerde rozendorpsbewoners.

Hij bestelde zalm, een zalm uit de Rijn, en direct had hij er spijt van, in gedachten zag hij de kelners springen, de plechtige gerokte ontvangstheren des doods, onnozel overijverig als onhandige kinderen, onnozel overwaardig als onhandige grijsaards waggelden ze naar de oever, struikelden over stronken en stenen van het rivierland, hielden schepnetten in de stroom, wezen naar Keetenheuve op het terras boven, knikten naar hem, waanden zich zeker van zijn goedkeuring, vingen de vis, staken hem in de hoogte, de mooie, de goudgeschubde zalm in glanzend harnas, als goud en zilver plenste hij in het net, door lemuren uit zijn vitaal element weggerukt, uit zijn goede wereld van het murmelend, verhalen vertellende water – oh dat verdrinken in licht en lucht, en wat hard blinkt in de zon het mes! Voor Keetenheuve werd de zalm geofferd. *Keetenheuve God voor wie zachte vissen geofferd werden.* Hij had het weer niet gewild. Verzoeking! Verzoeking! Wat deed de anachoreet? Hij vermoordde de sprinkhanen. De vis was dood. De wijn was matig. Excellentie Keetenheuve at zijn diplomatenmaaltijd met een matige smaak.

Hij voerde diplomatieke gesprekken. Wie waren zijn gasten?

De heer Hitler, *Führer*, de heer Stendhal, consul. Wie serveerde? De heer Chamberlain, achtenswaardig.

Hitler: Deze lucht is een zachte; het Rijnlandschap is een historisch; dit terras is een opwekkend. Al negentien jaar geleden –

Stendhal: Mijn bewondering en mijn verering! Oh, jong te zijn, toen u van dit terras naar Wiessee vertrok, om uw vrienden te killen! Wat ontroert mij het lot der jongelingen. Wat winden de romans onder uw aegide mij op. Als intendant zou ik gevolg hebben gegeven aan uw heerban. Ik zou Milaan hebben teruggezien, Warschau en de Berezina. Met man en paard en wagen had hen de vorst verslagen. U citeerde het gedicht na uw overwinning op Polen. U sprak in de Rijksdag. U beleende uw legerleiders met maarschalksstaven en met bezittingen in West-Pruisen. Een paar liet u ophangen. Anderen schoten zichzelf gehoorzaam dood. Eén stuurde u vergif. En al uw stralende jongelingen, uw helden van de lucht, uw helden van de zee, uw helden in de pantserwagens, en uw jongens in Berlijn, mijnheer Hitler! Wat doen uw literatoren, mijnheer Keetenheuve? Ze vertalen Baudelaire. Wat mooi, wat dapper! Maar Narvik, Cyrenaica, de Atlantische Oceaan, de Wolga, alle terechtstellingsplaatsen, de gevangenenkampen in de Kaukasus en de gevangenenkampen in Iowa. Wie schrijft dat op? De waarheid is van belang, niets dan de waarheid –

Keetenheuve: Er is hier helemaal geen waarheid. Alleen kluwens van leugens.

Stendhal: U bent een impotente gnosticus, mijnheer de afgevaardigde.

De leugenkluwens vormen in de lucht boven de Rijn een ballet en laten vuile pikante lingerie zien.

Hitler: Jarenlang streed ik in mijn tafelgesprekken voor het Germaans-Historisch Instituut van de Verenigde Geïllustreerde Tijdschriften voor een zuivering van de Duitse cultuur van ten eerste joodse, ten tweede christelijke, ten derde moreel sentimentele en ten vierde kosmopolitisch internationaal pacifistisch bloeddorstige invloeden, en ik kan u thans verzekeren dat mijn overwinning een mondiale is.

Over de Rijn rollen zes wereldbollen. Ze zijn bewimpeld en bewapend. Luidsprekers brullen: De vlag in top! Chamberlains handen trillen. Hij morst de gesmolten boter op het tafelkleed en zegt: Peace in our time.

Uit het water komt het lijk van Tsjechoslowakije omhoog en stinkt. De voorzienigheid zit in de buik van het lijk gevangen en dwaalt radeloos op en neer. Drie luidsprekers vechten tegen elkaar. De ene schreeuwt: Volgens plan! De andere brult: Volgens norm! De derde zingt het koor uit de *Dreigroschenoper*: Ja, maak maar een plan. Luidspreker een en luidspreker twee storten zich op luidspreker drie en slaan hem in elkaar.

Senator McCarthy stuurt twee leugendetectoren om de kwestie te onderzoeken.

De eerste leugendetector wendt zich tot Hitler: Mijnheer Hitler, bent u ooit lid van de Communistische Partij geweest?

Hitler: Als onbekende korporaal besloot ik politicus te worden en de bolsjewistische *Untermensch*, die nooit meer, dat kunt u van me aannemen, zijn hoofd zal opheffen…

De naald van de leugendetector kwispelt vriendelijk.

Maar Hitler kijkt er naar, stopt en schreeuwt laaiend: Laat mij eens uw arisch persoonsbewijs zien!

De eerste leugendetector is erg in de war. Zijn zekering brandt door, en hij moet zich verstoord terugtrekken. De tweede leugendetector wendt zich tot Keetenheuve: Was u lid van de Communistische Partij?

Keetenheuve: Nee. Nooit.

De twee leugendetector: Heeft u op de negende augustus negentienhonderdachtentwintig uit de Berlijnse Staatsbibliotheek *Het Kapitaal* van Karl Marx geleend en heeft u 's avonds aan uw toenmalige vriendin Sonja Busen te kennen gegeven dat zij haar hemd aan moest houden omdat het nu belangrijker was *Het Kapitaal* te bestuderen?

Keetenheuve schrikt en schaamt zich. De wijzer van de

leugendetector slaat heftig naar links. Uit de Rijn komen de *Rheintöchter* omhoog. Ze dragen de horizonblauwe, erotiserende uniformen van stewardessen en zingen: Wagalaweia, je komt niet naar Amerika, wagalaweia, je blijft daar.

Keetenheuve is vol wroeging.

Stendhal probeert Keetenheuve te troosten: Guatemala is toch niet vervelender dan Civitavecchia, waar ik consul was. Gaat u niet op vakantie. Daar valt u dood.

Keetenheuve kijkt Chamberlain verwijtend aan en zegt: Maar Beck en Halder wilden toch een putsch plegen! Denkt u daaraan, Beck en Halder wilden hem kelen!

Hitler slaat zichzelf geamuseerd op de knie en lacht met somnambule zekerheid.

Chamberlain kijkt vreselijk bedroefd naar de resten van de vis die hij afruimt. Hij fluistert: Een generaal die een putsch wil plegen is geen partner voor het Verenigd Koninkrijk; de generaal die een succesvolle putsch heeft gepleegd mag zijn opwachting maken aan het Hof van St. James.

Hij moest gaan. Het was tijd. De vier kelners stonden om hem heen. Weldra zouden ze weer generaals bedienen. Dat was wel onvermijdelijk. De rozendorpelingen aan de andere oever ontwaakten uit hun siësta. De koffietafel werd klaargemaakt. Ook daaraan zouden generaals uitgenodigd worden. De rozendorpelingen wilden hun generaals terughebben. Ze voelden zich rozenblaadjes op een zwarte poel. Wat kon er niet allemaal uit de diepte opstijgen? Padden, algen, gedode vroeggeboortes. Misschien sprong een pad op het rozenblad, huppelde naar de tafel en zei: 'Ik neem het huishouden over.' Dan was het goed als een generaal zijn sabel had. De kelners maakten een buiging. Hij gaf steeds te hoge fooien, en het was goed dat hij te hoge fooien gaf, want dan lieten de ontvangstheren des doods hem voor deze keer nog genadig gaan.

Frost-Forestiers zwarte regeringswagen had op Keetenheuve gewacht. Frost-Forestier wilde Keetenheuve verder laten wennen aan de genoegens die de regering en het leven de hoge ambtenaren en de gezanten verleenden. Toen hij in de wagen stapte, zag Keetenheuve het gebouw van de Franse Hoge Commissie en op het dak wapperde de tricolore. 'Le jour de gloire est arrivé!' Was hij er, de roemrijke dag? Was hij er steeds opnieuw? Al honderdvijftig jaar lang de ene roemrijke dag na de andere? Het was nog niet lang geleden en er scheen toch al zo veel tijd verstreken te zijn. Het was nog niet lang geleden, en de tricolore wapperde in Amerika, men richtte voor de vrijheid een standbeeld op 'qu'un sang impur abreuve nos sillons'. Al anderhalve eeuw lang schreeuwden de naties om onrein bloed, doordrenkten zij de voren. Ze konden helemaal niet genoeg onrein bloed opscharrelen om de enorme behoefte te dekken: Duits, Russisch, Engels, Frans, Italiaans, Spaans, Amerikaans bloed, bloed van de Balkan en bloed uit Azië, negerbloed, jodenbloed, fascistenbloed, communistenbloed, een ontstellende bloedzee, de toevloed hield aan, zo veel mensenvrienden hadden aan de bloedkanalen gebouwd, zo velen die het goede wilden, de encyclopedisten, de romantici, de hegelianen, de marxisten en al die nationalisten. Keetenheuve zag de bomen rood met rood gebladerte, hij zag de aarde, de hemel rood, en de God van de filosofen bekeek zijn werk en zag dat het niet goed was. Toen sommeerde hij de fysici in het strijdperk te treden, zij dachten in golven en deeltjes, het lukte hun het atoom te splitsen, en zij doodden in Hirosjima.

Kinderen kwamen zijn auto tegemoet. Franse kinderen, Duitse kinderen, Amerikaanse kinderen. De kinderen liepen of speelden per natie apart. De groepen spraken geen woord met elkaar. Keetenheuve reed door het Amerikaanse dorp. Het was een Amerikaans dorp aan de Rijn. Een kleine Amerikaanse kerk was net zo gebouwd als Amerikaanse kolonisten van de pionierstijd hem aan de rand van de prairie bouwden nadat ze de indianen hadden gedood of verdreven. In de kerk werd tot een God gebeden die van de succesvollen hield. De Amerikaanse God zou niet van Keetenheuve hebben gehouden. Hij was niet succesvol en had nooit een prairie veroverd.

Ze kwamen in Mehlem, reden tot het pand van de Amerikaanse Hoge Commissaris en Keetenheuve stapte uit de wagen. Het Amerikaanse commissariaat was een paalwoning in het bos, een kale constructie van beton, staal en glas en toch, zoals het daar stond, een romantisch slot uit het Duitse sprookje, een wolkenkrabber, uit Broadway hier terechtgekomen en op betonblokken gezet alsof hij bang was dat de Rijn uit zijn bedding zou komen om hem op te slokken, en de vele automobielen die onder het huis tussen de betonpalen stonden geparkeerd, zagen eruit als reddingsboten, klaar voor een gehaast vertrek. Ofschoon het dag was, brandden in het gehele, grote gebouw duizenden neonbuizen, en zij verhoogden de onwerkelijke, de magische indruk die de paalwoning in het bos maakte. Het commissariaat leek op het paleis van een machtige tovenaar, en het leek ook op een enorme bijenkorf waarin de neonverlichte ramen eruitzagen als aan elkaar geregen raten. Keetenheuve hoorde het huis zoemen. De bijen waren druk. Keetenheuve liep moedig het toverrijk in, stortte zich dapper in de magische schijn. Hij liet een wachtpost een legitimatiebewijs zien, en de wachtpost liet hem door. Liften stegen en daalden door het gebouw als de bloedsomloop van een levend wezen. Heren en dames lieten zich bedrijvig met kleine mappen in de hand omhoog en omlaag pompen, bacteriën die bij dit lichaam hoorden, het in leven hielden, het versterkten en verzwakten. Misschien zou een microscoop hebben verraden of het opbouwende of afbrekende delen waren. Ook Keetenheuve stapte in een van de liften en ging hemelwaarts. Hij stapte op een tussenverdieping uit de lift en liep een lange neonverlichte gang uit. De gang was spookachtig, onwerkelijk en aangenaam, en de gekoelde lucht uit een airconditioninginstallatie blies aangenaam om hem heen. Hij klopte op een deur en ging een dubbellichtende kamer binnen. De kamer leek op een kunstmatig verlicht aquarium bij zonneschijn, en Keetenheuve bedacht dat hij zelf graag in een soortgelijk dubbellichtend verlicht aquarium werkte. Wat waren ze toch voor gefokte, in aquaria en broeikassen uitgezette wezens! Hier trof hij twee Duitse secretaresses. Hij vroeg naar een Amerikaan, en een secretaresse zei dat de Amerikaan ergens in het gebouw was, maar ze wist niet waar. Het had ook geen zin de Amerikaan te zoeken zei de andere secretaresse; je zou de Amerikaan niet vinden, en bovendien was de zaak waarvoor Keetenheuve zich inzette toch nog niet beslist, ze werd juist door andere Amerikanen, hogere dan de chef van dit kleine aquarium, onderzocht. Keetenheuve bedankte voor de informatie. Hij ging de kamer uit, het ondubbellichtende, het zuivere neonlicht van de gang in, en de zinloosheid van zijn activiteit was hem duidelijk. Een troebele vlek op deze mooie duidelijke zinloosheid waren waar dan ook mensen, die op de beslissing van het geval wachtten. Keetenheuve kwam bij een lift. Hij ging verder hemelwaarts. Hij kwam in een dakkantine, vanwaar je ver over de Rijn kon kijken, en op hetzelfde moment betrad hij een keldercafé in het wanhopigste Parijs. De in de gangen en liften zo bedrijvige dames en heren verpoosden hier bij koffie, sigaretten en problemen – ze krabden aan de existentie. Existeerden ze? Ze leken het te denken omdat ze koffie dronken, rookten en in gedachten of feitelijk ruzie met elkaar zochten. Ze dachten na over hun existentie en over hun existentie in verhouding tot alle andere existenties, ze beschouwden de existentie van het gebouw, de existentie van het Hoge Commissariaat, de existentie van de Rijn, de existentie van dit Duitsland, de existentie van de andere Rijnstaten en de existentie van Europa, en in al deze existenties knaagde de worm, was twijfel, onwerkelijkheid en afkeer. *En Thor dreigde met de reuzenhamer!* 'Amerika is misschien het laatste experiment en tegelijk de grootste kans van de mensheid om haar zending te vervullen,' Keetenheuve had deze uitspraak in de Keyserling-kring gehoord, en hij dacht erover na. Hij zou graag naar Amerika gereisd zijn. Hij zou graag het nieuwe Rome hebben gezien. Hoe was Amerika? Groot? Vrij? Het was vast en zeker anders dan men zich aan de Rijn kon voorstellen. Dit gebouw was niet Amerika. Het was een vooruitgeschoven kantoor, een buitenpost, misschien een bijzonder experiment in een bijzonder va-cuüm. 'Amerika is niet, het wordt,' dat had de spreker gezegd. Keetenheuve was erg voor een nieuw worden; hij had tot nu toe alleen maar ondergangen gezien. De meisjes in het dakcafé hadden dunne nylonkousen aan, die, door hun vlees door-ademd, als een tweede, geile huid langs het been omhoogtrok-ken en lokkend onder de rok verdwenen. De mannen droegen korte sokken en wanneer ze hun benen over elkaar sloegen, zag je hun behaarde kuiten. Ze werkten met elkaar, de bedrijvige heren en dames, sliepen ze ook met elkaar? Keetenheuve zag, terwijl Thor donderde, een duister bacchanaal van vermenging in deze zaal, en bedrijvig, net als met de mappen in de liftkooi-en en gangen, waren ze nu in een alzijdige sexualiteit, waarvan Keetenheuve bleef uitgesloten zoals van al hun drukte, hij be-need hen dit een ogenblik, en toch wist hij dat het geen liefde en hartstocht was wat hen bewoog, maar enkel de uitzichtloze be-vrediging van een steeds terugkerende jeuk. Hij dronk zijn kof-fie staand, en hij observeerde de knappe meisjes met de fraaie kousen en hij observeerde de jonge mannen met de korte sok-ken, die eruitzagen als ontevreden engelen, en toen viel hem op dat hun mooie gezichten getekend waren, getekend door leeg-te, getekend door louter bestaan. *Het was niet genoeg*

4

Keetenheuve had zich verlaat, de diplomaat had gedineerd, de dromer had rondgezworven, en de commissieleden keken hem nu verwijtend aan. De fractiegenoten Heineweg en Bierbohm keken met een strenge en afkeurende blik naar de binnenkomer. Hun gelaatsuitdrukkingen zeiden dat Keetenheuve in dit college, waarin hij nog geen uur had verzuimd, in deze raadkamer, waarin hij vlijtig en productief was geweest, hun partij nu onherstelbaar had geblameerd en beschadigd.

Ook Korodin nam Keetenheuve op, maar in zijn blik lag eerder verwachting dan verwijt. Opnieuw vroeg Korodin zich af of Keetenheuve met zijn verleden had gebroken, of hij in een kerk, God om inzicht biddend, de tijd was vergeten en nu voor hen zou gaan staan en zou bekennen: de Heer heeft zich aan mij geopenbaard, ik ben een ander mens. Korodin zou een gesprek met God als reden voor het te laat komen hebben geaccepteerd en Keetenheuve hebben vergeven. Maar Keetenheuve had het helemaal niet over inzicht, hij mompelde alleen maar een onbegrijpelijk vrijblijvende verontschuldiging en ging op zijn plaats zitten. Hij ging echter (zij merkten het alleen niet) beschaamd op zijn plaats zitten, beschaamd als een slechte scholier wie geen verontschuldiging voor zijn luiheid te binnen wil schieten. Hij had zich vandaag laten meeslepen. Als een oude boot, die zijn houvast had verloren, was hij weggegleden op de wisselvallige stromingen van de dag. Hij dacht na. Hij moest op zichzelf letten. Wat was zijn houvast geweest, dat hij had verloren? Hij had Elke verloren, de dochter van de gouwleider, de wees van de oorlog, en hij dacht nu niet aan haar als aan een vrouw, hij zag haar als een kind dat hem was toevertrouwd en waar hij

niet voor gezorgd had. Het kind of de band van het tedere gevoel was zijn houvast geweest, een vast punt in de vervloeiende
vloed, het anker van zijn boot op de, zoals nu bleek, verlaten geworden zee van het leven, en het anker was weggezonken, het
was losgeraakt van de boot, de ketting was gebroken, het anker
bleef voor altijd beneden, bleef in de afgrijselijke, de onbekende,
de verschrikkelijke donkere diepte. Arm klein anker! Hij had
het slecht onderhouden. Hij had het laten roesten. Wat was er
van Elke geworden aan zijn zijde? Een alcoholiste. Waarin was
ze beschonken gevallen? In de armen van de lesbiennes, in de
armen van de door en door verdoemden der liefde. Hij had niet
voor Elke gezorgd. Hij begreep het niet. Hij had commissies
bezocht, hij had honderdduizend brieven geschreven, hij had in
het parlement gesproken, hij had wetten geredigeerd, hij begreep het niet, hij zou bij Elke hebben kunnen blijven, aan de
zijde van de jeugd, en misschien zou het, wanneer hij niet alles
verkeerd zou hebben gedaan, de zijde van het leven zijn geweest. Een mens was voldoende om zin aan het leven te geven.
Het werk was niet voldoende. De politiek was niet voldoende.
Ze beschermden hem niet tegen de ontzettende verlatenheid
van het bestaan. De verlatenheid was zacht. De verlatenheid
deed hem niets. Ze greep niet naar de afgevaardigde met lange
spookarmen. Ze wurgde hem niet. Ze was er alleen maar. Ze
bleef alleen maar. De verlatenheid had zich aan hem getoond,
ze had zich aan hem voorgesteld, en nu waren hem de ogen geopend, nu zag hij haar, overal, en nooit meer zou de verlatenheid verdwijnen, nooit meer zou ze voor zijn ogen onzichtbaar
worden. Wie was ze? Hoe zag ze er uit? Ze was het niets, en ze
had geen uiterlijk. Ze zag er net uit als alle dingen. Ze zag er uit
als de commissie, als het parlement, als de stad, als de Rijn, als
het land, alles was de verlatenheid, was het niets in een verschrikkelijke oneindigheid, die onverwoestbaar was, want zelfs
de ondergang tastte het niets niet aan. Het niets was de werkelijke eeuwigheid. En Keetenheuve ervoer tegelijkertijd zeer duidelijk zijn zijn, hij was er, hij was iets, hij wist het, hij was door

het niets omringd en ervan doordrongen, en toch was hij een deel op zich, een ik, alleen en eenzaam tegenover de verlatenheid geplaatst, en hierin lag een lichte hoop, een kleine kans voor David tegen Goliath – maar David was niet bedroefd. Keetenheuve was vervuld van droefheid. Korodin zou hem gezegd kunnen hebben dat de droefheid een doodzonde is. Maar wat zou het Keetenheuve hebben geholpen dat te weten? En bovendien wist hij het wel. Hij was niet dommer dan Korodin. – Keetenheuve verstond de commissietaal niet meer. Wat spraken ze? Chinees? Ze spraken het commissieduits. Hij beheerste dat toch! Hij moest het weer verstaan. Hij zweette. Hij zweette van inspanning om de bespreking te verstaan; maar de anderen zweetten ook. Ze veegden het zweet met zakdoeken weg; ze veegden over hun gezicht, ze veegden over de glimmende kale koppen, ze veegden hun nekken, staken de zakdoek achter de doorweekte kraag van hun overhemd. Het rook in het vertrek naar zweet en naar lavendel en Keetenheuve rook net als zij: steeds verrotte iets en steeds opnieuw probeerde men met reukwater de geur van verrotting te verbergen.

Nu zag hij de commissieleden als spelers aan een roulettetafel zitten. Ach, hoe vergeefs hun hoop, het balletje sprong, het geluk glipte weg! Heineweg en Bierbohm zagen eruit als kleine spelers, die met een geringe inzet, eenieder volgens zijn systeem, van het geluk het presentiegeld wilden afdwingen. Daarbij ging het spel om mensen, om grote bedragen en om de toekomst. Het was een belangrijke commissie, het had belangrijke kwesties te bespreken, het moest voor de mensen huizen bouwen. Maar wat was dat gecompliceerd! Door gevaarlijke draaikolken moest elk voorstel gemanoeuvreerd worden, zette men het ook nog als motie op papier dan leed het papieren scheepje gemakkelijk schipbreuk, strandde op een der duizend klippen, sloeg lek en zonk. Ministeries en andere commissies bemoeiden zich ermee, de evenredige schadeloosstelling voor geleden oorlogsschade kwam ter sprake, evenals de kapitaalmarkt en het belastingrecht, er moest gedacht worden aan de rentepolitiek, aan de integratie van de verdrevenen, de schadeloosstelling van de mensen die door de bombardementen hun woning hadden verloren, het recht van de bezitters, de verzorging van de verminkten, men kon tegen de wetten van de deelstaten en de rechten van de steden oplopen, en hoe moest men de armen iets geven wanneer niemand iets wilde weggeven, hoe kon men onteigenen wanneer de grondwet positief tegenover het eigendom stond, en als men in sommige gevallen toch besloot behoedzaam te onteigenen, dan was weer de kans op nieuw onrecht aanwezig; wanneer een onhandig iemand in de wirwar van paragrafen terecht kwam dan stond de deur voor veel misbruik open. Keetenheuve hoorde getallen. Ze leken op het geruis van een waterleiding bij zijn oor, indrukwekkend en toch nietszeggend. Zeshonderdvijftig miljoen uit de openbare middelen. Zoveel uit de centrale opbrengst. Extra potje voor experimenten; dat was slechts vijftien miljoen. En dan waren er nog de inkomsten uit de niet-accessoire zekerheden op een stuk grond ten gevolge van reorganisaties. Korodin las de getallen voor, en af en toe wierp hij een blik op Keetenheuve, alsof hij van hem protest of instemming verwachtte. Keetenheuve zweeg. Hij kon opeens net zo min zijn mening over Korodins cijfers geven als de toeschouwer van een goochelvoorstelling over de raadselachtige en eigenlijk vervelende gebeurtenissen op het toneel; hij weet dat een truc toegepast en hij misleid wordt. Keetenheuve was door de natie in deze commissie geplaatst om erop toe te zien dat niemand werd bedrogen. Evenwel – voor hem was de bespreking nu nog slechts een verbluffend gegoochel met getallen! Niemand zou de miljoenen zien waarover Korodin sprak. Niemand had ze ooit gezien. Zelfs Korodin, die het getallenspook opvoerde, had de miljoenen niet gezien. Ze stonden op het papier, werden op het papier doorgegeven, en alleen op het papier werden ze verdeeld. Ze liepen door oneindig veel rekenmachines. Ze jakkerden door de rekenmachines van de ministeries, van de rekenkamers, van de hoofdkantoren en de filialen, ze verschenen in de contolijsten van de banken, doken op in de balansen, verminderden, vloeiden weg, maar ze bleven papier, een cijfer op papier, tot ze zich eindelijk ergens materialiseerden en veertig mark in een loonzakje werden en vijftig gestolen pfennig voor een indianenboek in een jongenshand. Echt goed begreep niemand het. Zelfs Stierides, de bankier van de rijksten, begreep het magische spel van de getallen niet; maar hij was meester in een yoga dat zijn conto's liet groeien. Keetenheuve wilde het woord vragen. Kon men niet iets doen? Kon men niet de dubbele hoeveelheid door de rekenmachines laten lopen, een twee keer zo groot bedrag als het voorgestelde, en zou dan niet opeens tachtig in plaats van veertig mark in het loonzakje liggen? Maar Keetenheuve durfde zo niet te praten. Weer keek Korodin hem vol verwachting, zelfs bemoedigend aan, maar Keetenheuve ontweek zijn blik. Hij was bang voor zijn fractiegenoten, hij was bang voor Heineweg en Bierbohm, hun verbazing en hun verontwaardiging. Keetenheuve zag trams over de besprekingstafel rijden, en de trams rinkelden: ook wij verdubbelen, wij verdubbelen ons tarief; en hij zag de bakkers demonstreren: dubbele prijs voor het brood; en hij zag de groenteboeren de prijzen veranderen voor kool en rapen. De verdubbeling van de papiergetallen had geen enkel nut. Het loonzakje bleef altijd matig gevuld. Dat was een economische wetmatigheid of het ene gezicht van de afhankelijkheid. Keetenheuve zou zo graag meer in het loonzakje hebben gestopt; maar ook hij zag niet hoe dat moest en hij werd duizelig. De hele dag al had hij last gehad van aanvallen van duizeligheid.

Ze spraken over mijnwerkerswoningen op een nieuwe kolonie bij de steenbergen, en een deskundige had de vierkante meters berekend die elke kolonist toegekend zouden worden, en een andere deskundige had bedacht hoe primitief en hoe goedkoop men de muren op zou kunnen trekken. Korodin bezat aandelen van de mijnen. De arbeiders delfden kolen, en op een geheimzinnige manier veranderde hun inspanning Korodins bankconto. De arbeiders gingen de schacht in en Korodin las zijn nieuwe saldo. De arbeiders gingen moe naar huis. Ze gingen door de voorstad, gingen langs de steenbergen, die nog steeds groeiden als de gebergtes uit de oertijd, zwarte tafelbergen die het gezicht van het landschap veranderden en op wier stoffige ronde toppen smerige kinderen moordenaar en detective, Winnetou en Old Shatterhand speelden. Zo zag Keetenheuve de mijnwerker bij het nieuwbouwhuis komen dat zij in de commissie bespraken, dat zij door en door berekenden, dat zij wet lieten worden en waarvoor zij de middelen, de trotse cijfers op het papier voteerden. De mijnwerker ging de door de deskundigen vastgestelde minimumvierkantemeter binnen. Hij deelde ze met zijn vrouw en zijn kinderen en met familieleden die het lot, de tegenslag en de werkloosheid plotseling naar hem had gedreven, en met slaapgasten wier geld hij nodig had om de termijnen voor de afschuwelijke, de onpraktische, de veel te grote en te poenerige meubels te betalen, voor de slaapkamer 'Erika', de woonkamer 'Adolf', deze gruwelkamers en huisvrouwendromen in de etalages van de afbetalingswinkels. De mijnwerker was thuis. Daar zoemde het en praatte het, schreeuwde, kraakte en kwaakte het uit monden en luidsprekers, drong als geschreeuw, gekijf, gevloek, geklets en gebulder, drong als Iphigeneia op Tauris en totomededelingen door deskundige's habbekratsmuren, en de mijnwerker denkt terug aan de mijn, ziet zichzelf weer in de diepe schacht, denkt: op die plaats, wanneer de pneumatische boren zoemen, wanneer het gesteente kraakt en breekt, is het in het geratel stil. En velen gingen bereidwillig de oorlog in omdat ze hun oude dag haatten, omdat ze het akelige benauwde leven niet meer konden verdragen, omdat de oorlog met zijn verschrikkingen ook vlucht en bevrijding was, de mogelijkheid van het reizen, de mogelijkheid van het zich onttrekken, de mogelijkheid in Rothschilds villa te wonen. Ze waren vervuld van afkeer, een verzwegen afkeer, die soms als doodslag aan het daglicht trad, als zelfmoord, als schijnbaar onbegrijpelijk familiedrama, en toch was het slechts de afkeer over het lawaai van de nederzettingen, het misnoegen over zo veel

nabijheid, de hekel aan de geuren van het eten en van de spijs-
vertering, van de uitwasemingen van de veel gedragen kleren en
van in de loog gezet ondergoed in de tobbe, de mijnwerker werd
misselijk van het zweet van zijn vrouw (hij hield van haar), van
de uitwerpselen van zijn kinderen (hij hield van hen) en als een
orkaan dreunde het onophoudelijke geklets van hun lippen om
hem heen.

Heineweg en Bierbohm gingen ermee akkoord. Ze stemden
in met de voorstellen van de deskundigen; ze voteerden de
minimumkosten, de minimumvierkantemeter, de minimumwoning. De woning zou gebouwd worden. Heineweg en Bierbohm waren voor het volkstuintjesgeluk. Ze zagen kleine puntgevelhuisjes ontstaan en beschouwden ze als gezellig; ze zagen
tevreden arbeiders klassebewust op hun eigen stukje grond
zaaien en door het geopende raam kwam uit de luidspreker van
de radio een bemoedigende redevoering van Knurrewahn. *Aan
ons de toekomst, aan ons de wereld.* En Korodin ging ermee akkoord. Hij stemde in met de voorstellen van de deskundigen;
hij voteerde de minimumkosten, de minimumvierkantemeter,
de minimumwoning. De woning zou gebouwd worden. Ook
Korodin was voor het volkstuintjesgeluk van de arbeiders, ook
hem verheugden romantische puntgevelhuisjes in het groen; hij
zag echter de deuren en vensters op Sacramentsdag met ber-
kenhout versierd, uit de luidspreker kwam de preek van de bisschop, en tevreden arbeiders knielden in de voortuin, vroom op
hun eigen stukje grond, voor het allerheiligste dat in de proces-
sie werd langsgedragen. *De Heer is mijn herder, het zal mij aan
niets ontbreken.* Ze waren voor appeasement. Heineweg, Bierbohm en Korodin, ze waren vijandelijke broeders. Ze wisten
niet dat ze verwante geesten waren. Ze beschouwden elkaar als
vijanden. Maar ze waren broeders. Ze bedronken zichzelf aan
dezelfde waterige limonade.

Wat wilde Keetenheuve? Elk dak was beter dan geen. Hij
wist het. Hij kende barakkenkampen en golfplaatbarakken, hij
kende bunkerwoningen, puinhuizen, noodverblijven, hij kende

ook de slums in Londen en de kelderkamertjes in de Chinezen-
wijk van de Rotterdamse haven, en hij wist dat de minimumwoning die de commissie wilde bouwen een vooruitgang ten op-
zichte van deze ellende was. Maar hij hield niet van de appeasement. Hij zag geen volkstuintjesgeluk. Hij geloofde de situatie
te doorzien: ze droeg gif en bacteriën in zich. Wat waren deze
nederzettingen immers anders dan de nationaal-socialistische
nederzettingen van de grote gezinnen, dan sa- en ss-nederzet-
tingen, alleen goedkoper, alleen benauwder, alleen armoediger,
alleen armzaliger? En wanneer je de blauwdrukken bekeek, het
was de nazi-stijl waarin verder werd gebouwd, en wanneer je de
namen van de bouwmeesters las, het waren de nazi-bouwmees-
ters die verder bouwden, en Heineweg en Bierbohm keurden
de bruine stijl goed en gingen akkoord met de architecten.
Het programma van de nationaal-socialistische bond van grote
gezinnen was Heinewegs en Bierbohms programma, het was
hun bevolkingsappeasement, het was hun sociale vooruitgang.
Wat wilde Keetenheuve dan? Wilde hij de revolutie? Wat een
groots, wat een mooi, wat een in het stof gevallen woord! Keetenheuve wilde de revolutie niet, omdat hij haar helemaal niet
meer kon willen – ze was er immers niet meer. De revolutie was
dood. Ze was verdord. De revolutie was een kind van de Romantiek, een puberteitscrisis. Ze had haar tijd gehad. Haar mo-
gelijkheden waren niet benut. Nu was ze een lijk, een verdroogd
blad in het herbarium van ideeën, een dood begrip, een ver-
ouderd woord uit de *Brockhaus*, zonder existentie in de om-
gangstaal, en alleen een enthousiaste jongeling mocht nog een
poosje met de revolutie dwepen, en ze was dan ook niets dan een
wens- en droombegrip, een geurloze bloem – nou ja, de blauwe herbariumbloem van de Romantiek. De tijd van het tedere
geloof in vrijheid, gelijkheid, broederschap, ze was voorbij *de*
morgen van Amerika Walt Whitmans gezangen de kracht en de
genialiteit en dan was het onanie die verzwakte en tevreden legde de
epigoon zich in het brede huwelijksbed van de wettige orde de kalen-
der met de vruchtbare en de onvruchtbare dagen van de vrouw op

het nachtkastje naast het condoom en de encycliek uit Rome. Korodin had over de revolutie gezegevierd, en hij besefte dat hij iets had verloren. Heineweg en Bierbohm hadden over de religie gezegevierd, en ze beseften dat ze iets hadden prijsgegeven. Gezamenlijk hadden ze de religie en de revolutie ontmand. De duivel had elke sociale gemeenschap weggehaald en hield haar stevig in zijn klauwen. Er waren nog wel putschen, men verdeelde ze in koude en warme, net als punch, maar de drank werd uit steeds goedkopere surrogaten gebrouwen en bezorgde de volkeren alleen nog maar koppijn. Keetenheuve was niet voor appeasement. Hij was ervoor de Gorgo in het gezicht te zien. Hij wilde de blik niet van de gruwelen afwenden. Maar hij wilde behaaglijk wonen en de duivel iets ontfutselen. Hij was voor het geluk in de wanhoop. Hij was voor geluk met comfort en eenzaamheid, hij was voor een voor iedereen toegankelijk eenzaam comfortabel en wanhopig geluk in de nu eenmaal tot stand gebrachte technische wereld. Het was niet nodig dat je, als je bedroefd was, ook nog kou leed; het was niet nodig dat je, als je ongelukkig was, ook nog honger leed; het was niet nodig dat je door het vuil wandelde terwijl je aan het niets dacht. En dus wilde Keetenheuve voor de arbeiders nieuwe huizen bouwen, Corbusier-behuizingsmachines, woonburchten van de technische tijd, een hele stad in één enkel reuzenhuis, met kunstmatige hoogtetuinen, kunstmatig klimaat, hij zag de mogelijkheid de mens tegen hitte en koude te beschermen, hem van stof en vuil te bevrijden, van het huishoudelijk werk, van de huisruzie en van al het woninglawaai. Keetenheuve wilde tienduizend onder één dak brengen om ze van elkaar te isoleren, zoals de grote steden de mens beroven van zijn verhoudingen met zijn buren, hem alleen laten zijn, een eenzaam roofdier, een eenzame jager, een eenzaam slachtoffer, daarom zou elke ruimte in Keetenheuve's reuzengebouw aangrenzend aan elke andere geluiddicht zijn, en iedereen zou in zijn kamer het voor hem geschikte klimaat instellen, hij kon alleen zijn met zijn boeken, alleen met zijn denken, alleen met zijn werk, alleen met zijn nietsdoen, alleen met zijn liefde, alleen met zijn wanhoop en alleen in zijn menselijke uitwaseming.

Keetenheuve wilde opstaan. Hij wilde tot hen spreken. Hij wilde hen overtuigen, en misschien wilde hij hen alleen maar irriteren, want hij geloofde niet meer dat hij hen kon overtuigen. Hij wilde dat nieuwe architecten, jonge enthousiaste bouwmeesters, nieuwe plannen tekenden, een machtige woonstad die het lelijke landschap van de steenbergen, van het uitgeworpen materiaal van de mijnen, van de uitwerpselen van de industrie, van de schroothopen, van de afvalbergen in één enkel stralend lichtfonkelend reuzenhuis zou veranderen, dat alle kleinburgerlijkheid van de wijken aan de rand van de stad, hun benauwdheid, hun armzaligheid, hun belachelijke eigendomswaan, die vertroeteld werd ter appeasement van de maatschappelijke jaloezie, het vastzitten van de vrouw aan de huishoudelijke arbeid, het vastzitten van de man aan het gezin, moest wegnemen en opheffen. Hij wilde hun vertellen over zijn toren en over de duizend ingenieus en comfortabel ingerichte woningen van de bewuste eenzaamheid, van de trots gedragen wanhoop. Keetenheuve wilde het profane klooster bouwen, de kluizenaarscellen voor de massamens. Hij zag de mensen, en hij zag dat ze zich aan illusies vastklampten waarin ze allang niet meer geloofden. Een van deze illusies was het gezinsgeluk. En bovendien huiverde zelfs Korodin ervan naar huis te rijden (om maar te zwijgen van Heineweg en Bierbohm, die driekamerwoningen hadden, volgestopt met mensen en huisraad), huiswaarts naar zijn groot geërfd huis, huiswaarts naar de feestjes, de zwakzinnige en vermoeiende orgieën der onwaarheid, die zijn vrouw, door een kobold voor de gek gehouden, arrangeerde en die hem verveelden, huiswaarts naar het egoïsme van zijn halfvolwassen kinderen, die hem kwelden en ontstelden, die beschermd en toch als wildebrassen opgroeiden en die met hun kille harteloze gezichten hem dwarslagen, een gelaat waarachter zich afschuw, hebzucht en obsceniteit verborgen, en wat stelden zelfs zijn beroemde schilderijen hem teleur, de duur ver-

zekerde Hollanders, hun landschappen met naïeve stieren op
vruchtbare weides, hun schoongemaakte blinkende interieurs,
de winterscènes met schaatsenrijden, mist en dichtgevroren
waterraderen, ook hem lieten ze bevriezen, en zo hing hij liever
in de politiek rond (in goed vertrouwen iets te moeten doen,
want zijn werk had men hem afgenomen, in de bedrijven en
fabrieken heersten de managers, die wisten hoe je het personeel
behandelt en hoe je onbewerkt ijzer walst, Korodin wist het
niet) of zat verontrust in kerken, bezocht de bisschop, liet zich
in met lieden als Keetenheuve en liep 's avonds graag over kerk-
hoven. Ze zouden Keetenheuve niet begrijpen. Ze zouden zijn
toren als een toren van Babel beschouwen. Hij zweeg. Korodin
wierp hem nog een keer een aanmoedigende en over zijn zwijgen teleurgestelde blik toe, en Heineweg en Bierbohm keken
hem opnieuw aan, ook zij teleurgesteld en verwijtend, en ze
dachten eraan wat er van hem was geworden, een wrak, een
man met een zware hartkwaal, wat was hij vreselijk veranderd,
het was alsof het werk in het parlementsmilieu zijn kracht had
uitgeput, en zij herinnerden zich de vroegere Keetenheuve, die
net als zij met een serieuze inzet het noodzakelijke had gedaan,
die had meegeholpen de slachtoffers van de gruwelijke oorlog
er bovenop te helpen, hen te kleden, hen weer huisvesting te
bieden, hun nieuwe hoop te geven – wat hielp het, en daarom
besloten zij al het getallenwerk opnieuw te onderzoeken, alle
plannen nog eens aan de deskundigen voor te leggen, en Heineweg zei ter afsluiting met een milde blik op Keetenheuve: 'Ik geloof dat we vandaag weer een flink stuk verder zijn gekomen.'

Keetenheuve liep door de gangen van het parlement, hij liep
over trappen naar zijn kantoor, en af en toe kwam hij dossier-
dragers tegen, die eruitzagen als spoken. De stenotypistes hadden het gebouw al verlaten. Alleen een paar strebers slopen er
nog in rond. Keetenheuve dacht: het labyrint is leeg, de stier
van Minos loopt geëerd tussen het volk, en voor eeuwig doolt
Theseus door de gangen. Zijn bureau lag er nog net zo bij als hij
het had achtergelaten. Het vel van de nieuwsdienst dat Dana

hem had gegeven, lag open boven de brieven van de afgevaardigde, open boven de krabbels van de afgevaardigde bij het *Beau
navire* van Baudelaire. Guatemala of niet – dat was de kwestie.
De interviews met de generaals uit het Conseil Supérieur des
Forces Armées stonden tussen hem en Guatemala. Als Keetenheuve gevolg gaf aan Dana's suggestie en de interviews morgen
in de plenaire vergadering terloops vermeldde, dan kon hij zich
niet meer terugtrekken, en ze zouden hem hier wegwerken en
hem niet meer het genadebrood Guatemala geven. Het was een
doortrapte kerel die deze worst voor zijn neus hield. Eigenlijk
was het een armzalig brokje! Guatemala – wie kwam je daar
tegen? Honden? – Die liepen langs de Rijn. Guatemala was
vrede, Guatemala was vergeten, Guatemala was dood. En dat
wist degene die het hem aanbood precies, die wist dat hij precies
daarop zou toehappen, op vrede, op vergeten, op de dood. Anders zouden ze Den Haag voor hem hebben gereserveerd,
Brussel, Kopenhagen, misschien Athene, zo veel was hij nog
wel waard; maar Guatemala, dat was het terras in de broeiende
zon, dat was het plein met stoffige palmen, dat was de langzame
en zekere ontbinding. Ze kenden hem! Knurrewahn, in de regering gekomen, zou hem Parijs hebben aangeboden om van
hem af te komen. Knurrewahn kende hem niet. Parijs was de
verplichting wat aan te knoeien en mee te spelen; Guatemala
was het verval, een cynische overgave aan de dood. Het was alsof men voor mijnheer de dood met de billen bloot moest; deze
vergelijking zou Frost-Forestier bevallen hebben.

Boven de Rijn was een regenboog verschenen. Hij welfde
zich van Godesberg, van Mehlem, van het gebouw van de Amerikanen naar Beuel, waar hij naast de brug verdween achter een
muur waarop het woord *Rheinlust* stond geschreven. De regenboog hing als het omhoog en omlaag van een jakobsladder
boven de rivier, en je kon je gemakkelijk voorstellen dat engelen
over het water liepen en dat God dichtbij was. Betekende de
regenboog verzoening, betekende hij vrede, bracht hij vriendelijkheid? De president in zijn paleis moest nu ook de regenboog

zien, de vriendelijke vredesboog van Godesberg naar Beuel, misschien stond de president op een met bloemen begroeid ter- ras en keek hij over de rivier, keek in de avondlucht die op dit uur stil als een oud tafereel was, en misschien was de president bedroefd en wist niet waarom, en misschien was de president teleurgesteld en wist eveneens niet waarom. En Keetenheuve, die bij het raam stond, bij het raam van zijn kantoor in het par- lementsgebouw, verzon een man die Musäus heette en butler was bij de president. Waarschijnlijk had de president helemaal geen butler, maar Keetenheuve gaf hem er nu een, Musäus ge- naamd, en Musäus leek op de president. Hij was net zo oud als de president, hij zag er net zo uit als de president en hij be- schouwde zichzelf als de president. Zijn bezigheden gaven hem daar tijd genoeg voor. Musäus had het handwerk van een kap- per geleerd en was 'naar het Hof gegaan', daarover had hij het vaak, dat vergat hij niet, hij was in zijn jonge jaren in rokkos- tuum 'naar het Hof gegaan' om de jonge vorst te scheren, met wie hij, terwijl hij hem inzeepte, vrijmoedig over de armoede van het volk had gesproken, en toen de vorst in negentienhon- derdachttien troonsafstand deed, wilde Musäus niemand meer scheren en werd bediende op een staatskantoor, vervolgens werd hij bediende bij Hindenburg en vervolgens toonde hij karakter en diende de *Braunauer* niet. Hij sloeg zich moeizaam door dictatuur en oorlog, tot de nieuwe staat zich hem herin- nerde en hem tot butler bij de president benoemde. Alles goed en wel; hij was in de war, de goede Musäus. Hij las te veel Goethe, die hij in de prachtige delen van de Sophien-uitgave uit de bibliotheek van de president leende, en 's avonds, wanneer de regenboog de oevers van de Rijn met elkaar verbond, stond ook Musäus aan de met rozen omrankte balustrade, beschouwde zichzelf als de president, keek ver weg het land in en was ver- heugd dat in de met bloemen omgeven pedagogische academie, die aan zijn voeten lag, alles goed verliep, gedijde en leefde. Maar ergens in zijn hart nestelde een onbehagen, leek het alsof hij iets had vergeten wat hij had bezeten toen hij nog 'naar het

Hof gegaan' was, de stem van het volk, het gefluister van het volk, het onbetekenende eentonige gemompel dat hij met de scheerzeep in de baard van de jonge vorst had gesmeerd, dat hoorde hij niet meer, en het stoorde hem dat het er niet meer was. Musäus wilde goed zijn, een goed landsheer, misschien had hij toen al de vorst tot een goed landsheer willen opvoeden, maar de vorst had niet lang geregeerd, en nu heerste Musäus en was de opvoedingsregels voor vorsten helaas vergeten. Zo kon Musäus niet goed regeren, men betrok hem bij koehandels, zo dacht Musäus geërgerd, en de leidende staatsman, zo dacht Musäus 's avonds, die gaf Musäus te goed te eten, zodat hij vet en doof en traag werd en ten slotte helemaal niets meer hoorde van het volksgefluister of zelfs valse stemmen hoorde, een nagebootst volksgemompel, als in een grammofoonplatenfabriek opgenomen, wie wist het, Musäus kon het niet meer onderscheiden, vroeger zou hij het hebben gekund, en toen nam hij zich voor dieet te houden, weinig te eten, weinig te drinken, hij leed drie dagen honger, de goede Musäus, hij leed drie dagen dorst, de goede Musäus, maar dan – de baan was te goed, het eten was te goed verzorgd, Musäus at een ribstukje, dronk een flesje en voedde en suste zo zijn innerlijk onbehagen. Keetenheuve zag af van Guatemala. Hij zag af van de Spaanse koloniale sterfveranda. Ook langs de Rijn waren terrassen. Hij was vastbesloten zich niet te laten wegpromoveren. Hij zou blijven. Hij zou achter zijn bureau blijven, hij zou in het parlement blijven; hij zou niet de barricade, maar de tribune opgaan. Hij zou met heilige verontwaardiging zich uitspreken tegen de regeringspolitiek. Voor hem zou elk middel goed zijn. Zijn doel was vrede. Zijn doel was vriendelijkheid onder de mensen. Was het niet een aanlokkelijk doel? Misschien zou hij het bereiken. Hij gaf het op zijn toespraak uit te werken. Hij wilde vrij spreken, met bezieling en uit het hart. Keetenheuve *gezant b.d. redenaar volkstribuun* verliet als een van de laatsten op deze dag het parlementsgebouw. Een bewaker deed de uitgang voor hem open. Keetenheuve liep even op vleugels de avond in. Wat liet hij achter? De onvoltooide vertaling van een gedicht, een bureau vol met onbeantwoorde brieven, een niet uitgewerkte redevoering, *en met hem ging de nieuwe tijd*

Maar al gauw merkte hij dat hij zweette. De avond bleef zwoel, ofschoon de regenboog prijkte. Uit een beerput kwam stank. Uit de tuinen rozengeur. Een grasmaaier ratelde over het grastapijt. Gesoigneerde honden wandelden door de laan. De grote diplomatieke verhinderaar van het ergere, de kleine Knirps-damesparaplu koket in de hand, hield zijn avondwandeling en dacht na over een nieuw hoofdstuk van zijn lucratieve memoires, zoals ook andere figuranten van het politieke toneel en straatdeuntjeszangers der waarheid op hun gemak van bezit naar bezitting liepen. Keetenheuve begroette de verhinderaar, die hij niet kende, en de grote memoirist dankte gevleid. 'Begrepen! Begrepen!' Keetenheuve zou het hem graag hebben toegeroepen en hem een schouderklopje hebben gegeven. Bismarck kende zijn medemensen: 'De ijdelheid is een hypotheek die op iedere politicus drukt.' Ze waren ijdel, ze waren allemaal ijdel, ministers, ambtenaren, diplomaten, afgevaardigden en zelfs de portier die de deur op het departement opendeed was ijdel omdat hij op het departement de deur opendeed, omdat hij bij de regering hoorde en af en toe in de krant werd genoemd omdat een journalist wilde bewijzen dat hij ook werkelijk op het ministerie was geweest en de portier had gezien. Ze beschouwden zichzelf allemaal als persoonlijkheden van de geschiedenis, als publieke grootheden, alleen omdat ze een departement hadden, omdat hun gezichten door de pers liepen, want de pers wil zijn voer hebben, omdat hun namen door de ether sprongen, want ook de radiostations hadden hun dagelijks hooi nodig, en dan zagen de echtgenotes de grote echtgenoten en kleine bedgenoten verrukt vanaf het filmdoek wuiven en erbijstaan met de slijmerdsgrijns die ze van de Amerikanen hadden afgekeken, die als mannequins voor de fotografen poseren. En hoewel de wereld niet veel van wereldgeschiedenismakers in overheidsdienst hield, ritselde ze toch voortdurend met hen, om te bewijzen dat de voorraad nietigheden en verschrikkingen niet uitgeput was, dat er nog steeds geschiedenis was. Wie wilde dan dat er geschiedenis was? En als ze al onvermijdelijk was, een onvermijdelijk kwaad, waarom dan dat gekakel bij het leggen van windeieren? De minister rijdt naar Parijs. Leuk. Wat doet hij daar? Hij wordt door een andere minister ontvangen. Geweldig. De ministers ontbijten samen. Prachtig. Prachtig. Hopelijk was het mooi weer. De ministers trekken zich terug voor een uitspraak. Bravo! En nu? Ze gaan weer uit elkaar. Wel, en daarna? De ene minister brengt de andere naar het station of naar het vliegveld. Ja, maar wat is er nu aan de hand? Niets. De minister vliegt naar huis en de andere minister zal gauw een tegenbezoek afleggen. En de hele reis, hier het station, daar het vliegveld, het ontbijt en het handenschudden, op krantenpagina's met vette koppen, op bioscoopdoeken en televisieschermen en in de luidsprekers in elke kamer – waartoe geschied? Men wist het niet. Rijdt toch eens langzaam naar Parijs!! Amuseert jullie in stilte. Het zou veel weldadiger zijn. Een jaar lang zwijgen rond deze lui! Een jaar lang moet er niet aan hen gedacht worden. Vergeten willen we hun gezichten, en aan hun namen willen we niet herinnerd worden. Misschien zullen er verhalen ontstaan. Ze zullen wezenlijk zijn. *Keetenheuve held van het verhaal.* Hij dacht de wereld die hem droeg kapot, want hoe wilde hij minister worden als je niet dagelijks met alle propagandamiddelen de wereld wijsmaakte dat ze ministers nodig heeft? *Keetenheuve minister met Bismarcks hypotheek van de ijdelheid belast* – Hij zweette heel erg. Hij was gebaad in zweet. Alles wond hem op. Het overhemd plakte. Hij voelde zich weer benauwd en bedrukt. Hij stak zijn hand in de split van zijn overhemd, legde haar op zijn huid, voelde de natheid, voelde hete borstelige haren, *Keetenheuve geen knaap, Keetenheuve een mannelijk dier, man met bokkengeur, haren op de borst, verborgen door kleren, verborgen door beschaving, getemd dier, de bok was niet te zien –* daaronder klopte het hart, een pomp die het niet meer klaarde. Hij had hen willen bestrijden: het hart had blij geklopt. Hij was tegen hen (en tegen zichzelf) ingegaan: het hart ging onrustig, moedeloos, hijgde, een opgejaagd weidedier. Was hij bang? Hij was niet bang. Maar hij leek op een zwemmer die tegen een sterke stroming in naar de oever zwemt en weet dat het hem niet zal lukken, hij wordt weggedreven, hij komt niet vooruit, de inspanning is zinloos, en het zou mooier zijn als je je mee liet drijven, het graf in dobberde.

Hij liep langs bouwplaatsen. Er werd na werktijd doorgewerkt. De regering bouwde, de departementen bouwden, bouw- en woningtoezicht bouwde, de Bondsregering en de deelstaten bouwden regeringsgebouwen, buitenlandse gezantschappen metselden zich stevig in, kartels, ondernemersverbonden, banken, oliemaatschappijen, staalfabrieken, steenkoolkantoren, elektrische centrales zetten hier hun administratiegebouwen neer, alsof ze in de regeringszon geen belasting hoefden te betalen, verzekeringsmaatschappijen breidden uit en bouwden aan, en verzekeringsmaatschappijen, waarbij verzekeraars zich voor verzekeringsaangelegenheden verzekerden, konden niet genoeg ruimtes vinden om hun polissen veilig op te bergen, hun advocaten onder te brengen, plaats te bieden aan hun levensverwachtingsstatistieken, hun winsten erdoor te jagen, hun rijkdom te laten zien. Ze wilden allemaal zo snel mogelijk in de nabijheid van de regering onder de pannen komen; het was alsof ze bang waren dat de regering hun kon ontglippen, er op een dag niet meer zou zijn, en in hun mooie nieuwe gebouwen zou het afgrijzen wonen. Leefde Keetenheuve in een nieuw tijdperk van verhevigde grondspeculatie? Het was een ondergrondse, een ondoorgrondelijke, een gegrond grondeloze tijd *op drijfzand hebben jullie gebouwd. Keetenheuve Verdi-zanger in Bonn, vooraan op het podium kreeg hij het belcanto onder de knie op drijfzand ach wat verraderlijk hebben jullie gebouwd. Kleine afgevaardigde arm tussen veiligheidspaleizen. De worm in het hout. De nagel aan jullie doodskist. Zieke worm. Kronkelde. Verroeste nagel. Oké, de verzekeringen zouden hem overleven. Hij was niet verzekerd. Stierf zo. Een hinderlijk lijk. Geen monument voor Keeten-*

heuve. Bevrijdde de mensheid van niets. Liep op de tast door bouw-putten. Vallen. Blind. Een mol. – Hij kwam bij de speelplaats en weer zaten er, net als vanmorgen, twee meisjes op de wip. Het waren dertienjarigen. Toen Keetenheuve hen bekeek, stopten ze met hun op- en neerwippen, de een zat gehurkt beneden, de ander hing boven op de evenwichtsbalk. Ze giechelden. Ze smoesden iets naar elkaar. De een trok aan haar rokje, trok de stof over haar dij. Verdorven. Verdorven. En jij? Lokte de jeugd jou niet aan, de gladde, de zachtkoele huid? Een haar die nog niet naar de dood rook? Een mond die nog geen verrotting uit-ademde? Het rook naar vanille. In het bouwvallige huis smoor-de iemand amandelen en suiker in een koperen ketel. *Eet de ge-brande reuzenamandelen* schreeuwde een door de regen gewas-sen spandoek. Keetenheuve kocht voor vijftig pfennig gebrande reuzenamandelen en at ze op. Hij dacht: het is de laatste keer, nu eet ik voor de laatste keer gebrande amandelen. Ze smaakten bitter. De suikerkorst kraakte tussen de tanden. Op de tong lag een kruimelig kleverige massa. De gebrande reuzenaman-delen smaakten naar puberteit, naar knapenwellust in duistere cineacs: op het doek zwellen smerig vlekkerig wit de borsten van Lyra de Mara, men zuigt op snoepgoed en in het bloed komt een nieuw verdriet op. Keetenheuve stond kauwend voor een etalage met studentenbenodigdheden. Ook de bezitter van deze etalage leefde van puberteitsgevoelens. Het was er alle-maal weer, de tijd liep terug, de oorlogen waren er nooit ge-weest, Keetenheuve zag witte studentenpetten, bonte baretten, corpslinten, kroegjasjes, hij bekeek vechtuitrustingen, rapieren, bierpullen met het corpslogo op de deksel, studentenliedboe-ken met gouden nagels in de boekband en met gesmede slui-tingen. Dat werd gemaakt, dat was te verkopen, dat bracht de huur voor de etalage en de winkel binnen en onderhield de zakenman. Werkelijk, het speculatietijdperk was teruggekeerd, zijn smaak, zijn complexen, zijn taboes. De zonen van de bouw-zuchtige directeuren reden achter het stuur van hun wagen naar de universiteit, maar 's avonds zetten ze hun narrenmutsen op, aapten hun grootvaders na en deden wat erg komisch moest zijn, met de kreet *salamander* hielden ze hun bierdrinkritueel; Keetenheuve had hierdoor de onsympathieke voorstelling van jonge mannen die door bier, domheid en onduidelijke, vaak nationale gevoelens bewogen, zingend lelijke padden tussen stamtafel en bierpullen kapotmaakten. Keetenheuve gooide de rest van de gebrande amandelen in de goot. De puntzak knalde en de suikeramandelen huppelden als knikkers over het plaveisel.

Keetenheuve kind speelt op de stoep met agaatknikkers. Bonner verzekeringsdirecteur van de Kösener Unie CC stormt met witte muts corpsband en rapier op Keetenheuve af. Directeur steekt Keetenheuve dood. Keetenheuve pakt een gebrande amandel, stopt die bij de directeur in de mond. Hij trekt aan de jas van de directeur, en muntstukken vallen uit de mouw op straat. Kleine meisjes komen en rapen de muntstukken op: ze roepen: meer, meer, meer, en steeds meer munten vallen, huppelen, springen over straat. Keetenheuve lacht. De directeur is boos en zegt: ernst van de situatie –

Keetenheuve liep over de markt. De marktvrouwen maakten hun kramen schoon. *Grap voor Mergentheim: een blinde loopt over de vismarkt, zegt: 'Girls'. Slaapkamer bij de Mergentheims. Sophie kleedt zich aan voor het feestje, CD in Godesberg, ze spant een doorzichtig korset over haar rimpelig lichaam. Mergentheim is niet opgewonden. Hij is moe. Hij zegt: 'Keetenheuve was bij me.' Het korset benauwt Sophie. Ze zou de zoom ervanaf willen knippen. Ze heeft het warm. Mergentheim zegt: 'Ik moest hem maar niet meer tutoyeren.' Sophie denkt: wat kletst hij, het korset knelt, nylon, doorzichtig en strak, ik zou de zoom kunnen openscheuren, ik kleed me toch niet uit. Mergentheim zegt: 'Ik ben zijn vijand. Ik moest het hem maar zeggen. Ik moest maar zeggen: "Mijnheer Keetenheuve, ik ben uw vijand."' Sophie denkt: Waarom draag ik dat doorzichtige korset? Als François-Poncet mij zo zou zien, je ziet toch alles, vouwen, het vadsige vet. Mergentheim zegt: 'Zo is het gemeen.'* Keetenheuve liep door het afval van de markt, rottend, stinkend, ontbindend, ranzig, bedorven lag het onder zijn voeten, hij gleed erin weg, *in een sinaasappel, een banaan, een mooie vrucht nutteloos gerijpt, zinloos geplukt, geboren in Afrika, gestorven op de markt in Bonn, niet eens genuttigd, reisde niet door de gulzige mens, werd niet veranderd. Worst, vlees, kaas, vis en overal vliegen. Vette brommers. Maden in het lichaam. Hun wapen. Worst op de schotel bedorven. Dat eten wij. Dat eten ze in hotel Stern. Ik zou er naar binnen kunnen gaan. Jobbers in de hal, veldspaten voor de grenswacht, patent van het waterkanon, namaakdiamanten, ze wachten nog steeds op de oproep van de minister. Die stuurt zijn wagen. Weg met de diamanten, weg met het waterkanonpatent, weg met de spaten, nette inklapbare vestzakspaten, onopvallend onder het kostuum te dragen, maakt geliefd in elke maatschappij, eenmalige prestatie, zeshonderd kubieke meter Duitse grond per uur, massagraven, kameraad begraaft kameraad. Wacht op de orders van de regering. Hier is Engeland. Hier is Engeland. U hoort de Stem van Amerika.* Dit keer zou Keetenheuve niet spreken. Hij zou geen strijd voeren in de ether. *Keetenheuve onbekende soldaat aan onbekend front. Schot naar voren? Schot naar achteren? Wie lef heeft schiet in de lucht. Pas op, het eskader! Geen vogel afschieten! Keetenheuve goed mens, geen jager. Witte handen. Dichter.* Op het balkon van het Sternhotel stond een afgevaardigde van de partij uit Beieren. Hij keek het Mangfalldal in. Koeien trokken de weiden uit. De koebellen rinkelden. Het jaar rijpte. De pensions waren bezet met Pruisen: Ave Maria. De partij uit Beieren kon net als alle kleine partijen de doorslag geven. Haar werd het hof gemaakt. Wanneer het serieus werd, stemde ze voor de regering, maar met een federalistische *reservatio mentalis.*

De mensen stonden in de rij voor een bioscoopkassa. Wat verwachtten ze? De grote Duitse komedie. Keetenheuve sloot zich bij de rij aan. Ariadne leidde hem, Theseus, die zich in het donker waagde, Ariadne zei: 'Opschuiven naar het midden!' Ze had een verwaande piepstem. Ze was als ordebewaarster over een ongemanierde mensheid aangesteld, die niet op tijd naar het midden opschoof. Keetenheuve zat, en hij zat in de bij zijn tijd passende houding, hij was object, er werd over hem beschikt. Nu was hij een object van de reclame. Op het filmdoek

werden hem scheerapparaten, rijbewijzen, verbanden, kleding-
stoffen, lippenstiften, haarverfmiddelen, een reis naar Athene
aangeboden. *Keetenheuve koper en consument, doorsneeconsument.*
Nuttig. Keetenheuve kocht zes overhemden per jaar. Vijftig
miljoen West-Duitsers kochten driehonderd miljoen overhemden. Van een enorme baal rolde de stof in de naaimachines.
Stofslangen omwikkelden de burger. *Gevangen.* Les: iemand
rookt tien sigaretten per dag, dan verrookt hij per jaar hoeveel
sigaretten, dus verroken vijftig miljoen rokers zes keer de Dom
van Keulen, als deze van tabak zou zijn. Keetenheuve rookte
niet. *Ontsnapt!* Hij was blij. Het bioscoopjournaal volgde. Een
minister opende een brug. Hij knipte een lint door. Hij liep
houterig over de brug. Andere houterigen liepen houterig achter de minister aan. De president bezocht de tentoonstelling.
Een kind begroette hem. *Onze Führer houdt van kinderen.* Een
minister ging op reis. Hij werd naar de trein gebracht. Een
minister kwam aan. Hij werd afgehaald. Miss Loisach werd
gekozen. Bikini op de alpenweide. Fraai achterwerk. Grote
atoombompaddestoel boven de woestijn van Nevada. Skiwed-
strijden op namaaksneeuw op het strand van Florida. Weer
bikini's. Veel aanvoer. Nog fraaiere achterwerken. In Korea:
twee ernstig kijkende vijanden ontmoeten elkaar; ze gaan een
tent in; ze gaan weer uit elkaar; de ene kruipt ernstig in een heli-
kopter, de ander nog ernstiger in zijn auto. Schoten. Bommen
op een of andere stad. Schoten. Bommen in een jungle. Miss
Macao wordt gekozen. Bikini. Zeer fraaie Chinees-Portugese
achterwerken. De sport verzoent de volkeren. Twintigduizend
staren naar een bal. Het is uiterst vervelend. Maar dan zoemt de
telelens van de filmcamera in op afzonderlijke gezichten uit de
twintigduizend: afschrikwekkende gezichten, verkrampte kin-
nebakken, halfvertrokken monden, moordlustige blik. *Wollt ihr*
den totalen Krieg? ja ja ja Keetenheuve bekeek vanaf zijn stoel
in de verduisterde zaal de door de geniepige telescooplenzen
wreed uit hun geborgenheid in de massa en uit hun anonimiteit
gerukte en van alle zelfbeheersing beroofde gezichten, die nu

door het licht (volgens Newton een onweegbare stof die kil en hoogmoedig boven de gebonden materie zweeft) op het bioscoopdoek als op een snijtafel werden gegooid, en hij was bang. Was dit het gelaat van de mens? Was zo afschrikwekkend het gezicht van de tijdgenoot? Waarin was men terechtgekomen en aan welk toeval dankt hij het *Keetenheuve farizeeër*, dat niet ook hij geroerd was in deze brij van twintigduizend (ministers zaten op de banken en werden door het cameraoog geregistreerd, ministers waren met het volk verbonden, ze waren het, of ze deden alsof: uitstekende mimespelers) en met op elkaar geklemde kaken de bal volgde? Hij werd hier niet warm of koud van, zijn bloed stroomde niet sneller, hij voelde geen woede: vlieg die scheidsrechter naar de strot, sla die hond, bedrog, een strafschop, geen strafschop, fluit! Keetenheuve stond buitenspel. Hij stond buiten het echte spanningsveld van deze samenkomst der twintigduizend. Ze waren vereend, ze accumuleerden, ze waren een gevaarlijke opeenhoping van nullen, een explosief mengsel, twintigduizend opgewonden harten en twintigduizend leeghoofden. Natuurlijk wachten ze op hun leider, op de nummer één, op hem die zich positief tegenover hen opstelt en hen pas tot een geweldig cijfer maakt, tot het volk, tot de nieuwe golem van het allegaarbegrip een volk, een rijk, een leider, een totale haat, een totale explosie, een totale ondergang. Keetenheuve stond negatief tegenover de massa. Hij was alleen. Dat was de positie van de leider. *Keetenheuve leider.* Maar Keetenheuve kon de massa niet betoveren. Hij zette de massa niet in beweging. Hij zette haar niet in vuur en vlam. Hij kon het volk niet eens bedriegen. Als politicus was hij een huwelijkszwendelaar, die impotent werd als hij met Frau Germania naar bed moest. Maar voor zijn eigen gevoel en ook vaak feitelijk en in een eerlijk pogen kwam juist hij steeds voor het recht van het volk op! Op het doek maakte nu de bioscoop reclame voor de bioscoop; er werden korte fragmenten uit de confectiedromen van het eerstvolgende programma vertoond. Twee oude mannen speelden tennis. Deze oude knapen waren echter de jonge minnaars van

de eerstvolgende film, schalks gekleed in korte broeken, en ze
konden gemakkelijk Keetenheuve's oudere broers zijn, want
toen hij nog een puber was, had Keetenheuve de heren al op
de rolprent zien acteren. Maar ze waren niet alleen tennisspe-
lers, ze waren ook landeigenaren, want het was een tijdsbeeld
dat hier werd aangekondigd *schokkend en aangrijpend*, en de
heren landeigenaren hadden alles verloren, al hun bezit aan de
wereldstorm opgeofferd, alleen het landgoed was nog van hen,
met kasteel en veld en bos en de tennisbaan en de korte sportieve broeken en vanzelfsprekend een paar edele paarden, om weer
voor Duitsland te rijden. Een geluidsbandstem sprak: 'Tussen
de gezworen vrienden staat een betoverende vrouw. Wie zal
haar krijgen?' Een matrone dartelde in een bakvisjurk bij het
net. Grootmoedertje's tijdverdrijf, en alles speelde zich af in de
beste kringen, in een wereld die zo chique helemaal niet meer
bestond. En Keetenheuve betwijfelde of deze chique wereld er
ooit was geweest. Wat was dat? Wat werd hier gespeeld? Een
geliefde Duitse volksschrijfster noemde een van haar vele romans *Highlife*; zij of haar uitgever zette de Engelse titel op het
Duitse boek, en miljoenen, die helemaal niet wisten wat het
woord *Highlife* betekende, verslonden het boek. Highlife –
voorname wereld, een toverspreuk, wat was dat, wie hoorde
daarbij? Korodin? Nee. Korodin was niet highlife. De kanselier? Ook hij niet. De bankier van de kanselier? Die zou dergelijke lui eruitgegooid hebben. Wie was dan highlife? Spoken
waren het, schimmen. De toneelspelers op het filmdoek waren
het, zij die highlife moesten spelen waren ook de enige vertegenwoordigers van deze voorname wereld, zij en een paar recla-
mefiguren van de geïllustreerde tijdschriften en de advertenties,
de man met de gesoigneerde snor, die champagne inschenkt
met een onnavolgbare waardigheid, die man die allemans tram-
sigaret in polotenue rookt, en de blauwe rook kringelt om de
mooie paardennek. Nooit zal een mens zo de champagne in-
schenken, nooit zal iemand zo op het paard zitten, en waarom
zou men dat ook doen – maar deze figuren waren echte scha-

duwkoningen van het volk. Een tweede voorfilm maakte reclame voor een kleurenfilm. De geluidsbandstem riep: 'Amerika in
burgerloorlog! Het hete zuiden, het land van de vurige zielen!
Een verrukkelijke vrouw tussen twee gezworen vrienden!' Twee
gezworen vrienden en een verrukkelijke vrouw – dat leek aan
beide zijden van de oceaan een dramatisch idee-fixe van scena-
rioschrijvers te zijn. De verrukkelijke vrouw zat dit keer op een
ongezadelde mustang en reed in drie kleuren, zodat het Keetenheuve pijn aan de ogen deed. De vrienden slopen – ook zij in
drie kleuren – door het kreupelhout en schoten op elkaar. De
geluidsbandstem gaf commentaar: 'Doldrieste mannen!' Keetenheuve had geen vriend op wie hij kon schieten. Moest hij mik-
ken op Mergentheim en Mergentheim op hem? Misschien
geen slecht idee. Sophie zou tot verrukkelijke vrouw benoemd
moeten worden. Ze zou meedoen. Was geen spelbederver. Nu
kwam de Duitse komedie. Keetenheuve was uitgeput. De komedie trilde. Het was een spookverschijning. De minnaar ver-
kleedde zich. Hij ging uit als dame. Oké, er waren travestieten.
Maar Keetenheuve vond het niet komisch. De travestiet ging in
een badkuip zitten. Ook travestieten moeten een keer baden.
Wat was daar komisch aan? Een dame verraste de nu fatsoenlijk
naakte en niet langer onfatsoenlijk verklede man in de kuip.
Men lachte naast Keetenheuve, men lachte voor en lachte achter hem. Waarom lachten ze? Hij begreep het niet. Het joeg
hem schrik aan. Hij was uitgestoten. Hij was uitgesloten van
hun gelach. Hij had niets komisch gezien. Een naakte toneelspeler. Een drie keer gescheiden dame die de toneelspeler in de
badkuip aantrof. Dat waren toch eerder trieste dan komische
gebeurtenissen! Maar ze lachten aan alle kanten om Keetenheuve heen. Ze bulderden van het lachen. Was Keetenheuve een
buitenlander? Was hij terechtgekomen bij mensen die anders
huilden, anders lachten, die anders waren dan hij? Misschien
was hij een buitenlander van het gevoel, en het gelach uit de duisternis sloeg pijnlijk als een al te krachtige golf over hem heen
en dreigde hem te verstikken. Hij verliet op de tast dit labyrint.

Hij verliet haastig de bioscoop. Het was een vlucht. Ariadne riep hem met hoge stem achterna: 'Rechts houden! Voor de uitgang rechts houden!' *Theseus op de vlucht Minotaurus leeft*

De dag vervaagde. Aan de hemel was nog een laatste weerschijn van de ondergaande zon. Het was avondbroodtijd. Ze zaten in hun bedompte kamers, ze zaten voor hun gespreide bedjes, ze voedden zich en ze lieten kauwend traag de luidsprekerstroom over zich heen gaan: neem me mee kapitein op reis, heimat jouw sterren. Er waren maar een paar mensen op straat. Het waren mensen die niet wisten waarheen ze moesten gaan. Ze wisten niet waarheen, ook al hadden ze een kamer, ook al was hun bedje gespreid, wachtten het bier en de worst op ze, ze wisten niet waarheen. Het waren mensen als Keetenheuve en toch waren ze weer anders dan Keetenheuve – ze wisten ook niets met zichzelf te beginnen. Voor de bioscoop stonden pubers. Ze gingen twee keer per week naar binnen en op de andere dagen stonden ze voor de bioscoop. Ze wachtten. Waarop wachtten ze? Ze wachtten op het leven, en het leven waarop ze wachtten kwam niet. Het leven verscheen niet voor een rendezvous voor de bioscoop, of als het verscheen en naast hen stond, dan zagen ze het niet, en de levensgezellen die later verschenen en te zien waren, dat waren niet degenen op wie ze stonden te wachten. Ze zouden daar helemaal niet zijn gaan staan als ze hadden geweten dat alleen zij zouden komen. De jongens wachtten zo maar. De verveling huisde in hen als een ziekte en op hun gezichten stond al te lezen dat ze langzaam aan deze ziekte zouden sterven. De meisjes stonden apart. Ze waren minder vervelingsziek dan de jongens. Ze waren hitsig en verborgen dat doordat ze met hun hoofden bij elkaar stonden, smoesden en ruzie maakten. De jongemannen bekeken voor de honderdste keer de filmfoto's. Ze zagen de acteur in de badkuip zitten, en ze zagen hem vrouwenkleren dragen. Wat acteerde de acteur? Een homo? Ze geeuwden. Hun mond werd een rond gat, de ingang van een tunnel waarin de leegte in en uit ging. Ze staken sigaretten in het gat, vulden de leegte, beten de lippen om het tabak op elkaar en kregen gemene gewichtigdoenerige gezichten. Ze konden eens afgevaardigde worden; maar waarschijnlijk zou het leger hen al eerder ophalen. Keetenheuve had geen visioen: hij zag ze niet in het frontgraf liggen, hij zag ze niet op kinderwagenwielen zonder benen rondrijden om te bedelen. Op dit moment zou hij hen niet eens beklaagd hebben. De gave van het vooruitzien was hem ontnomen en het medelijden was gestorven. Een bakkersleerling bekeek de bioscoopkassa. De caissière zat in het kassahokje als de wassen buste van een dame in de etalage van een kapper. De caissière glimlachte stijf en zoet als de wassen bustes en droeg dun en trots haar golvende pruik. De bakkersleerling vroeg zich af of hij de caissière zou kunnen beroven. Zijn overhemd stond ver tot aan zijn navel open en zijn zeer korte bakkersbroek bedekte net zijn achterwerk. Zijn borst en zijn naakte benen waren meelbestoven. Hij rookte niet. Hij geeuwde niet. Zijn ogen stonden wakker. Keetenheuve dacht: als ik een meisje zou zijn, zou ik met jou naar de oever gaan. Keetenheuve dacht: als ik caissière zou zijn, zou ik opletten.

Hij kwam eenzamen tegen, die wanhopig rondslenterden in de stad. Wat dachten ze? Wat leden ze? Waren ze wellustig? Kwelde hen dat? Zochten ze partners voor de geilheid die in hen broeide? Ze zouden de partners niet vinden. De partners waren overal. Ze liepen langs elkaar heen, mannen en vrouwen, ze doordrenkten zichzelf van beelden en in de gehuurde kamer, in het gehuurde bed zouden ze zich de straat herinneren en zichzelf bevredigen. Sommigen zouden zich graag hebben bedronken. Ze zouden graag een gesprek hebben gevoerd. Ze keken verlangend naar de winkelramen. Maar ze hadden geen geld. Het loon was verdeeld; het was voor de huur, de was, voor de noodzakelijke voeding, een alimentatie, een uitkering verdeeld; ze mochten blij zijn als ze de job behielden die het geld dat moest worden verdeeld binnenbracht. Ze gingen voor de etalages staan en bekeken dure fototoestellen. Ze vroegen zich af of de Leica of de Contax beter was, en ze konden zich geen kinderbox veroorloven. Keetenheuve ging het wijnlokaal met de lambrizering in. Het was stil, het was aangenaam; alleen de hitte was in het lokaal blijven hangen; hij zweette. Een oude heer zat bij zijn wijn en las de krant. Hij las het hoofdartikel. Het artikel had als kop *Zal de Kanselier winnen?* Keetenheuve had het artikel gelezen; hij wist dat zijn naam in de bijdrage als een steen op de weg van de kanselier was vermeld. *Keetenheuve steen des aanstoots.* Hij bestelde een Ahrwijn, die hier goed was. De oude heer aaide, terwijl hij zichzelf informeerde over de vooruitzichten van de kanselier, een oude teckel die naast hem beschaafd op de bank hurkte. De teckel had een pienter gezicht; hij zag eruit als een staatsman. Keetenheuve dacht: zo zal ook ik eens zitten, oud, alleen, aangewezen op de vriendschap van een hond. Maar het was nog de vraag of hij dat zou hebben, een hond, een glas wijn en ergens in de stad een bed.

Een priester kwam het wijnlokaal in. Een klein meisje begeleidde de priester. Het kleine meisje was ongeveer twaalf jaar oud en had rode sokjes aan. De priester was groot en sterk. Hij zag eruit als een man van het land, maar hij had het hoofd van een geleerde. Het was een goed hoofd. De priester gaf het kleine meisje de wijnkaart en het kleine meisje las verlegen de namen van de wijnen. Het kleine meisje was bang dat het limonade zou krijgen; maar de priester vroeg haar of ze wijn wilde drinken. Hij bestelde voor het kleine meisje een achtste en voor zichzelf een kwart. Het kleine meisje pakte het wijnglas met beide handen beet en dronk met kleine voorzichtige slokken. De priester vroeg: 'Hoe smaakt het?' Het kleine meisje zei: 'Goed!' Keetenheuve dacht: je hoeft niet verlegen te zijn; hij is blij dat je bij hem bent. De priester trok een krant uit zijn soutane. Het was een Italiaanse krant, het was een Vaticaanse, het was de *Osservatore Romano*. De priester zette een bril op en las het hoofdartikel van de *Osservatore*. Keetenheuve dacht: de krant is niet slechter dan andere, waarschijnlijk is ze beter. Keetenheuve dacht: het artikel is goed geschreven, ze zijn humanisten, ze kunnen denken, ze verdedigen op goede gronden een goede zaak, maar ze onderdrukken de mening dat je op even goede gronden de tegenovergestelde zaak kunt verdedigen. Keetenheuve dacht: er is geen waarheid. Hij dacht: er is het geloof. Hij vroeg zichzelf af: gelooft de redacteur van de *Osservatore* wat in zijn blad staat? Is hij een geestelijke? Heeft hij de wijdingen ontvangen? Woont hij in het Vaticaan? Keetenheuve dacht: een mooi leven; 's avonds de tuinen, 's avonds de wandeling langs de Tiber. Hij zag zichzelf als priester langs de oever van de Tiber wandelen. Hij droeg een schone soutane en een zwarte hoed met een rode band *Keetenheuve monsignore. Kleine meisjes bogen en kusten zijn hand.* De priester vroeg het kleine meisje: 'Wil je mineraalwater bij de wijn?' Het kleine meisje schudde haar hoofd. Ze dronk haar wijn puur met genietende kleine slokken. De priester vouwde de *Osservatore* op. Hij nam de bril af. Zijn ogen stonden helder. Zijn gezicht was rustig. Het was geen leeg gezicht. Hij proefde de wijn als een wijnboer. De sokjes van het kleine meisje hingen rood onder de tafel. De oude heer aaide zijn pientere teckel. Het was stil. Ook de serveerster zat stil aan een tafel. Ze las in een geïllustreerd tijdschrift het vervolgverhaal *Ik was Stalins vriendin.* Keetenheuve dacht: eeuwigheid. Hij dacht: verstarring. Hij dacht: verraad. Hij dacht: geloof. Hij dacht: de vrede bedriegt. En hij dacht verder: de hitte hier, de stilte daar, dat is een moment van de eeuwigheid, en wij zijn geweckt in dit moment van de eeuwigheid, de priester en de *Osservatore Romano*, het kleine meisje en haar rode sokjes, de heer en zijn hond, de serveerster, die uitrust, Stalin en zijn trouweloze vriendin en ik, de afgevaardigde, een Proteus, ziek en zwak, maar tenminste nog onrustig.

Opeens betaalden ze allemaal. De priester betaalde. De oude heer betaalde. Keetenheuve betaalde. Het wijnlokaal ging dicht. Waarnaartoe? Waarnaartoe? De oude heer en zijn hond gingen naar huis. De priester bracht het kleine meisje naar huis. Had de priester geen thuis? Keetenheuve wist het niet. Misschien bracht de priester een bezoek aan Korodin. Misschien overnachtte hij in een kerk, bracht de nacht door in gebed. Mis-

schien had hij een mooi huis, een breed barokbed met gedraaide zwanen, oude spiegels, een belangrijke bibliotheek, Fransen
van de zeventiende eeuw, misschien ging hij nog wat behaaglijk
zitten lezen, misschien sliep hij in tussen koel linnengoed, en
misschien droomde hij van rode sokjes. Keetenheuve had geen
behoefte om naar huis te gaan; zijn afgevaardigdenoptrekje was
een pied-à-terre van onlust, een poppenkamer van angst, waarin hij maar één ding zou voelen – wanneer hij daar zou sterven
zou niemand treuren. De hele dag was hij al bang voor deze
trieste kamer.

De straten van de wijk waren leeg. Nutteloos brandden de
lampen in de etalages van de confectionairs. Keetenheuve bekeek het leven van de etalagegezinnen. Een radiostation had
het ideale gezin gezocht. Hier was het. De confectionair had het
allang gevonden. Een grijnzende vader, een grijnzende moeder,
een grijnzend kind staarden in extase naar hun prijskaartjes. Ze
verheugden zich, omdat ze goedkoop waren gekleed. Keetenheuve dacht: als de etaleur op het idee zou komen om de man in
een uniform te steken, wat zal hij grijnzen, wat zullen ze hem
grijnzend bewonderen; ze zullen hem bewonderen, tot door de
explosiedruk de ruiten knappen, tot in de vuurstorm het was
weer zal smelten. Ook de dame in het venster ernaast, die een
mondain kapsel, een zinnelijke mond en een fraai brutaal vooruitgestoken onderlichaam had, was blij met haar prijsbewuste
drapering. Het was een ideale bevolking die daar stond, ideale
vaders, ideale huisvrouwen, ideale kinderen, ideale vriendinnen
vervolgverhaal Ik was Keetenheuve's etalagepop *Keetenheuve
persoonlijkheid van de nieuwste geschiedenis, Keetenheuve zeden-
schildering van de geïllustreerde tijdschriften*, ze grijnsden Keetenheuve aan. Ze grijnsden aanmoedigend. Ze grijnsden: tast toe!
Ze leidden een ideaal, keurig en goedkoop leven. Zelfs het
brutaal vooruitgestoken onderlichaam van de mondaine pop,
de kleine hoer, was keurig en goedkoop, het was ideaal, het was
synthetisch: in deze schoot lag de toekomst. Keetenheuve kon
een poppengezin kopen. Een ideale vrouw. Een ideaal kind.

Hij kon zijn afgevaardigdenpoppenwoning met hen bevolken. Hij kon van hen houden. Hij kon hen in de kast leggen wanneer hij niet meer van hen kon houden. Hij kon voor hen doodskisten kopen, hen daarin neerleggen en teraardebestellen.

De stad had de eenzame wandelaar veel te bieden. Ze bood hem auto's aan, ze bood hem kachels aan, koelkasten, fietsen, pannen, meubels, klokken, radio's, al deze goederen stonden of lagen in de enkel en alleen voor Keetenheuve verlichte etalages in een opvallende vereenzaming, ze waren de verzoeking van de duivel, ze waren op dit uur onwerkelijke auto's, onwerkelijke kachels, pannen of kasten, ze leken op in gebruiksvoorwerpen omgevormde toverspreuken of vervloekingen. Een machtige tovenaar had alles laten verstarren, het was vast geworden, in een toevalsvorm geperste lucht, en de tovenaar had er plezier in gehad ook lelijke vormen te maken, en nu was hij verheugd dat de mens deze dingen begeerde en voor ze werkte, voor ze moordde, stal, bedroog; de mens bracht zelfs zichzelf om wanneer hij de wissel niet kon betalen, de handtekening die hij de duivel had gegeven en waardoor hij zichzelf met deze toverdingen had opgezadeld. Een winkel met rood licht was zuivere zwarte magie. Een mens stond opengesneden in een vitrine. Keetenheuve zag het hart, de longen, de nieren, de maag van de mens; ze lagen open en in hun natuurlijke grootte voor zijn ogen. De organen waren door glasbuizen, doorzichtige laboratoriumslangen met elkaar verbonden, en door de buizen liep een felrode limonade, die met de toverdrank Sieglinde in beweging gehouden moest worden. Op de opengesneden mens zat een doodshoofd met gepoetste tanden, en zijn rechterarm had geen huid, zodat spierbundels en zenuwdraden open en bloot te zien waren, zijn rechterarm was in een fascistengroet opgeheven, en Keetenheuve dacht het 'Heil Hitler' te horen dat dit spook hem toeslingerde. Het wezen had geen geslachtskenmerken, het stond impotent te midden van een voorraad hygiënische artikelen, zoals ze genoemd werden, en Keetenheuve zag condooms, voorbehoedsmiddelen, anticonceptiepillen, allerlei vettige zalven en versuikerde pillen, een ooievaar van kunsthars was te zien, en een lichtbak verkondigde: *Hier vindt u het beste voor onze kleintjes.*

Keetenheuve dacht: niet meer meewerken, niet meedoen, het pact niet ondertekenen, geen koper, geen onderdaan zijn. Keetenheuve droomde heel even in de nachtelijke, in de stille straten van de hoofdstad, die zichzelf er nu weer van bewust werd een provinciestad te zijn, de oeroude droom van de eenvoud. De droom gaf hem kracht, zoals ze nog iedereen kracht had gegeven. Zijn voetstappen weerklonken. *Keetenheuve asceet. Keetenheuve leerling van Zen. Keetenheuve boeddhist. Keetenheuve de grote zelfbevrijder.* Maar de prikkeling die hij voelde prikkelde ook zijn sappen, de geestelijke vleugels waarmee hij liep wekte ook de eetlust op, de grote zelfbevrijder voelde honger, hij voelde dorst, het was niets met die bevrijding, die als ze moest lukken nu moest beginnen, nu, direct en meteen. Zijn voetstappen weerklonken. Ze weerklonken hol in de stille straat.

Keetenheuve ging naar het andere wijnlokaal van de stad. Dit wijnlokaal was minder rustig, dit wijnlokaal was minder voornaam dan het eerste, er was geen priester aanwezig, er was geen klein meisje in rode sokjes van wie je vrolijk werd, maar dit lokaal was nog open, er werd nog geschonken. Twee groepjes stamgasten voerden een debat. Het waren dikke mannen, het waren dikke vrouwen; ze hadden in de buurt hun winkels, ze hadden hun gemakkelijk levensonderhoud, ze hadden de etalages verlicht, ze hadden een verbond gesloten met de duivel. Keetenheuve bestelde wijn en kaas. Het stelde hem tevreden dat hij kaas bestelde. De boeddhist wilde niet dat er voor hem werd geslacht. De licht stinkende kaas suste zijn geweten in slaap. Hij smaakte hem. Aan de muur hing het testament van de stervende wijnhandelaar voor zijn zoon: je kunt wijn ook uit druiven bereiden. De wijn die Keetenheuve dronk was goed. En toen kwamen de meisjes van het Leger des Heils het lokaal binnen.

Slechts één meisje droeg het blauwrode uniform en de kaper

van de soldaten van de Heer en van de andere wist je niet of
ze wel tot het Heilsleger behoorde, of ze een nog niet met het
ordekleed beklede novice was of alleen maar toevallig was mee-
gegaan, vrijwillig uit vriendschap of onvrij door slechte vriendinnen daartoe gedwongen, koppig of louter uit nieuwsgierigheid. Ze was misschien zestien jaar oud. Ze had een verkreukel-
de jurk van een goedkope kunstvezel aan, haar jonge borst verhief de ruwe stof, en Keetenheuve werd getroffen door een verbaasde uitdrukking op haar gezicht, een permanente gelaats-
trek van verwondering, gepaard met teleurstelling, wroeging en
toorn. Het meisje was eigenlijk niet mooi, ook was ze klein,
maar haar frisse en wat stugge houding maakte haar knap. Ze
leek op een jong paard dat ingespannen was, verschrikt is en
gaat steigeren. Ze volgde aarzelend, de nummers van de *Strijdkreet* in de hand, de geüniformeerde, die vijfentwintig jaar oud
kon zijn, een vaal, door beproevingen getekend gezicht had met
een bleek nerveus gespannen oppervlak waarin streng een bijna liploze mond gesloten rustte. Haar haar, voor zover Keetenheuve het onder de kaper kon zien, was kort geknipt, en het
meisje moest er, wanneer ze het vreselijke hoofddeksel afnam,
wel als een jongen uitzien. Keetenheuve voelde zich door het
paar aangetrokken. *Keetenheuve nieuwsgierig en sentimenteel.* De
geüniformeerde hield de stamgasten de collectebus voor en de
dikke zakenlui gooiden met een ontstemde gelaatsuitdrukking
vijfpfennigstukken in de verroeste gleuf. Hun dikke vrouwen
staarden dom en hoogmoedig in de verte; ze keken alsof de
Heilssoldate en de collectebus niet te zien waren. Het meisje
nam haar bus terug en in haar gezicht lagen onverschilligheid
en minachting. De burgers keken niet op naar het gezicht van
het meisje. Ze hadden er geen flauw idee van dat je hen kon
minachten; en het Leger des Heilsschepsel hoefde geen moeite
te doen haar minachting te verbergen. De met vrome spreuk-
banden versierde gitaar sloeg met een helder geluid tegen Keetenheuve's tafel en het meisje hield nu hem met een minachten-
de uitdrukking de bus voor – een hoogmoedige, duistere engel

des heils. Keetenheuve wilde met haar praten, maar verlegenheid hield hem tegen, en hij praatte alleen in gedachten met
haar. Hij smeekte: zingt u toch! Zingt u het koraal! En het
meisje zei in Keetenheuve's gedachten: het is niet de geschikte
plaats! En Keetenheuve antwoordde in zijn denken: elke plaats
is de geschikte plaats om de Heer te prijzen. En hij dacht verder: je bent een kleine lesbienne, je herinnert je mij, en je bent
erg bang dat er iets van je afgepakt zou kunnen worden wat
je hebt gestolen. Hij deed vijf mark in de collectebus, en hij
schaamde zich omdat hij vijf mark in de gleuf stopte. Het was te
veel en het was te weinig. De kleine niet-geüniformeerde zestienjarige observeerde Keetenheuve en keek hem verwonderd
aan. En toen schoof de wat gebarsten onderlip van haar gewelfde zinnelijke mond naar voren en in haar gezicht verschenen
een zinloos oprechte woede en verontwaardiging. Keetenheuve
lachte, en het kind voelde zich betrapt en werd rood. Keetenheuve zou het meisje graag hebben gevraagd bij hem te komen
zitten. Hij wist dat het bij de burgers opzien zou baren; maar dat
kon hem niets schelen, het zou hem zelfs plezier hebben gedaan. Maar hij was verlegen tegenover de meisjes, en voor hij
hen bij zich durfde te vragen riep de geüniformeerde de kleine,
die Keetenheuve onophoudelijke aanstaarde, nadrukkelijk naar
de deur. Het jonge meisje trilde als een paard dat de gehate roep
van de koetsier hoort en een stevige ruk aan het bit voelt; ze
wendde haar blik van Keetenheuve af en riep: 'Gerda, ik kom
toch al.'

De meisjes verdwenen. De deur rinkelde. De deur viel in het
slot. En met het dichtslaan van de deur zag Keetenheuve Londen. Hij zag een grote plattegrond van de grote stad Londen
met al zijn in het land gelegen voorsteden aan de muur van een
metrostation hangen, en op de plattegrond zat in Londen in de
dokkenwijk een beetje vliegenstront. Daar stond hij, Keetenheuve, in Londen in de dokkenwijk en op een metrostation.
De trein die hem naar buiten had gegooid was verdergereden;
het gierde en trok ijzig koud in de metrotunnel. Keetenheuve

bevroor op het perron. Het was zondagmiddag. Het was een zondagmiddag in november. Keetenheuve was arm, vreemd en alleen. Op straat regende het. Het was een kletterende motregen die uit laaghangende wolken drupte, uit drachtige mistbanken, die als zware wollen mutsen op de daken van de melaatssmerige huizen, van de geteerde loodsen lagen en zich volzogen met de bijtende trage rook uit oude schurftige schoorstenen. De rook stonk naar venen, hij rook als een smeulende turfbrand op een nat veen. Het was een bekende geur, het was de geur van de heksen van Macbeth, en in de wind klonk hun schreeuw; mooi is woest en woest is mooi! De heksen waren met de mistbanken naar de stad getrokken, ze hurkten op de daken en dakgoten, ze hadden een rendez-vous met de zeewind, ze bezichtigden Londen, ze pisten in de oude wijken en toen begonnen ze plotseling geil te huilen, toen de storm hen wegstootte, toen hij hen in het wolkenbed gooide, hen door elkaar schudde, hen hels en wellustig omhelsde. Overal gierde en kreunde het. Overal in het rond knarste het gebint van de pakhuizen, kraakten de windscheve daken. Keetenheuve stond op straat. Hij hoorde de heksen koeren. De cafés waren gesloten. Mannen hingen maar wat rond. Ze hoorden de heksen. De warme cafés waren gesloten. Vrouwen stonden bibberend van de kou in de portieken. Ze luisterden naar het heksenkabaal. De gin lag afgesloten in de afgegrendelde cafés. De geile heksen lachten, huilden, pisten, cohabiteerden. De hemel was vol heksen. En toen kwam uit mist en vocht, uit turfrook, storm en heksensabbat de muziek, kwam het Leger des Heils met zijn vaandels, kwam met zijn *Strijdkreet*, kwam met pauken en trompetten, met kleppetten en kapero, met toespraken en koorgezang en probeerde de demonen te verdrijven en de nietigheid van de mens te ontkennen. De stoet van het Leger des Heils vormde een krul, maakte een kring, en daar stonden ze en riepen, bliezen en paukten hun *Looft de Heer*, en de heksen lachten verder, hielden hun wolkenbuiken vast, pisten en gingen voor de wind op hun rug liggen. Gele grijze zwarte veenbezwanger-

de weelderige wellustpijne heksendijen, heksenbuiken vormden de stormachtige wolkenhemel boven het smerige plein
tussen de dokken. De kleine gezellige cafés waren gesloten, de
donkere behaaglijke tapperijen. Maar ook al zouden de cafés
open zijn geweest, wie zou dan een shilling hebben gehad voor
het kleverige donkerschuimende bier? Dus gingen de mannen
en de vrouwen, dus gingen de zondagsarmen, dus ging *Keetenheuve arme emigrant* om het Leger des Heils heen staan, ze luisterden naar de muziek, ze luisterden zwijgend naar het zingen,
maar ze hoorden de toespraak niet, ze hoorden de heksen, ze
voelden hoe het hun kil om het hart werd, ze voelden hoe ze
doorweekt werden. En toen gingen ze op weg, een gebogen, een
bibberende, een trieste stoet, de armen over elkaar, de handen in
de zakken gestopt, mannen en vrouwen, *Keetenheuve emigrant
SA marcheert*, achter de Leger des Heilsvlag aan, achter de Leger
des Heilspauken aan, en de heksen raasden en lachten, en de
wind raakte hen flink, stevig, nog een keer nog een keer, jij beste
wind van de zee, van de ijskoude pool, verwarm je, verhit je, wij
zijn de heksen van het veen, wij zijn op het bal in het goede oude
Londen... Ze kwamen bij een loods, en daar moesten ze wachten, omdat ook het Leger des Heils hun wilde laten zien dat ze
arme mensen waren die moesten wachten. En waarom zouden
ze niet wachten? Er wachtte niets op hen. De loods was warm.
Er brandden gashaarden. Ze zoemden, hun vlammen schenen
geel en rood en blauw als slingerende dwaallichten, en het rook
zoetig in de ruimte, zoetig als na een zware narcose. Ze gingen
op de houten banken zonder leuningen zitten, want voor de
armen zijn banken zonder leuningen goed genoeg. De armen
mogen niet moe zijn. De rijken mogen leunen. Hier waren
enkel armen. Ze zetten de handen op de dijen en bogen voor-
over, want ze waren uitgeteld door het staan, door het wachten,
door de verlatenheid. De muziek speelde. 'Ontwaakt jullie
Christenen allemaal,' en een man die zij kolonel noemden en
die eruitzag als een kolonel uit de *Sketch Colonel Keetenheuve bij
een cricketwedstrijd op slot Bancquo*, hield de preek. De kolonel

had een vrouw (ze zag er lang niet zo voornaam uit als hij wiens foto in de *Sketch* verscheen, ze kon nog net zijn wasvrouw zijn, mocht zijn onderbroeken schrobben) en mevrouw de kolonel nodigde nadat mijnheer de kolonel had gesproken (wat had hij gezegd? Keetenheuve wist het niet, niemand wist het), mevrouw de kolonel nodigde hen die waren samengekomen uit te bekennen hoe slecht ze waren. Nu leeft er in veel mensen een neiging om zichzelf bloot te geven, evenals een neiging tot masochisme en dus stapten enkelen naar voren en beschuldigden zichzelf ijdel van slechte gedachten die zij nooit hadden gedacht, terwijl ze angstig verhinderden dat de slangen uit hen spraken, het gifgewormte dat werkelijk in hun borst nestelde. De slechte daden bleven ongebiecht. Misschien was het verstandig deze hier niet te noemen. Misschien zaten er rechercheurs in de zaal. En wat waren eigenlijk slechte daden als je ze hier aan de mensen en toch ook wel aan God moest bekennen? Een hond mishandelen is een slechte daad. Een kind slaan is een slechte daad. Maar was het een slechte gedachte de bank te willen beroven? Of was het slecht een aanslag op een machtige boosaardige en alom geëerde man te beramen? Wie wist het? Je had een zeer helder geweten nodig om dat uit te maken. Had de kolonel van het Leger des Heils zo'n geweten? Hij zag er niet zo uit. Zijn elegante, kortgeknipte baard was krijgshaftig, hij was meer leger dan heil. En als de kolonel dit fijngevoelige geweten zou hebben, wat zou hij er dan aan hebben, want juist een ontwikkeld, een scherp, een tactvol gevoel voor goed en kwaad zal de vraag of een bankroof zedelijk of onzedelijk was al helemaal niet kunnen beantwoorden. Na de biecht was er de langverwachte thee. Er werd uit een grote dampende ketel in aluminiumbekers geschept. De thee was zwart en was sterk gezoet. Je verbrandde je lippen aan de aluminiumbeker, maar weldadig liep de drank over de tong, weldadig en gloeiend stroomde hij het lichaam in. De gasvlammen zoemden, en hun weeïge dodelijke verbrandingsgassen vermengden zich met de zoete geur van de thee, met de sprookjesgeur van India en met de scherpe uitwaseming van de ongewassen lichamen, de muffe lucht van de regennatte, nu broeiende kleren tot een eigenaardige damp, die voor Keetenheuve's ogen rood werd en hem duizelig maakte. Allen verlangden naar buiten, ze verlangden naar de storm, ze verlangden naar de heksen – maar de verlokkelijke cafés waren nog steeds gesloten. Men wilde ook hier in Bonn sluiten. De stamgasten vertrokken. De zakenlui gaven elkaar met een valse glimlach een vette hand, ze drukten hun dikke vingers met de gouden ringen tegen elkaar, ze wisten wat iedereen waard was, ze kenden het wederzijds saldo. Nu gingen ze weg en deden de lampen in hun etalagevallen uit. Ze kleedden zich uit. Ze deden hun behoefte. Ze kropen in bed, de dikke zakenman, de dikke zakenvrouw, de zoon zal studeren, de dochter zal goed trouwen, de vrouw geeuwt, de man laat een scheet. Welterusten! Welterusten! Wie lijdt er kou op het veld?

Keetenheuve zag dat de lichten in de ramen uitgingen. Waar zou hij naartoe gaan? Hij liep doelloos rond. En voor het warenhuis ontmoette hij weer de Leger des Heilsmeisjes, en dit keer begroette hij hen als oude bekenden. Gerda beet haar smalle bloedeloze lippen stuk. Ze was woedend. Wat haatte ze de mannen, die naar haar idee door het onverdiende geschenk van de penis dwaas geworden stomkoppen waren. Gerda zou er graag vandoor zijn gegaan, maar ze betwijfelde of Lena, de kleine zestienjarige, haar zou volgen, en daarom moest ze blijven staan en de nabijheid van de roofzuchtige man dulden. Keetenheuve liep met Lena op en neer voor de etalages van het warenhuis, op en neer voor het gedoofde licht in de poppenkamers, en hij hoorde, terwijl Gerda hen met een vertrokken mond en met brandende ogen gadesloeg, het verhaal van een vluchteling. Lena vertelde het hem met een zacht, liefdevol de lettergrepen inslikkend dialect. Ze kwam uit Thüringen en was mecaniciensleerling. Ze beweerde diploma's te hebben dat ze mecanicien was en al als gereedschapsmaker had gewerkt. Haar familie was met Lena naar Berlijn gevlogen, en vervolgens waren ze naar de Bondsrepubliek gevlogen en hadden lang in kampen gewoond.

Lena, de kleine mecanicien, wilde zijn leertijd afmaken en daarna wilde hij als gereedschapsmaker veel geld verdienen en daarna wilde hij studeren en ingenieur worden, zoals men hem dat in het oosten had beloofd, maar in het westen lachte men hem uit en zei hem dat de draaibank hier niets voor meisjes was en studeren niets voor armen. Dus stopte een of ander arbeidsbureau Lena in een keuken, stopte haar in een keuken van een logement, en Lena, de vluchteling uit Thüringen, moest borden afspoelen, de vettige etensresten, de vette sauzen, de vette worstvellen, de vette overgebleven stukken gebraad, en ze werd misselijk van zo veel vet, en ze kotste midden in dat bleke lillende vet. Ze liep weg uit de vetkeuken. Ze liep op straat. Ze ging langs de kant van de weg staan en wenkte de auto's, want ze wilde het paradijs bereiken, dat haar voor de geest stond als een blinkende fabriek met geoliede werkbanken en een goedbetaalde achturige werkdag. Vertegenwoordigers namen Lena mee. Vette handen betastten haar borsten. Vette handen grepen onder haar rok, trokken aan de bandjes van haar onderbroek. Lena verzette zich. De vertegenwoordigers scholden. Lena probeerde het met de vrachtwagenchauffeurs. De vrachtwagenchauffeurs lachten om de kleine mecanicien. Ze grepen onder Lena's rok. Toen ze schreeuwde, schakelden ze de motor terug en gooiden Lena in de eerste versnelling de auto uit. Ze kwam bij de Roer. Ze zag de schoorstenen. De hoogovens brandden. De walserijen draaiden. De smeden smeedden. Maar voor de werkpoorten zaten de vette portiers, en de vette portiers lachten toen Lena vroeg of men een geschoolde mecaniciensleerling wilde aannemen. De vette portiers waren bovendien veel te vet om een mecaniciensleerling onder de rok te grijpen. Op die manier was Lena in de hoofdstad terechtgekomen. Wat doet de dakloze, wat begint de hongerende? Hij houdt zich op bij het station, alsof met de treinen het geluk zou komen. Velen spraken Lena aan. Ook Gerda sprak Lena aan. Lena volgde Gerda, het Leger des Heilsmeisje, en ze keek rond in de stad met de *Strijdkreet* in de hand, en ze verbaasde zich over alles wat ze zag.

Keetenheuve dacht: ook Gerda zal je borsten aanraken. Hij dacht: ook ik zal het doen. Hij dacht: het is je lot. Hij dacht: wij zijn zo, het is ons lot. Hij zei haar echter dat hij wilde proberen haar een plaats te bezorgen om haar leertijd af te maken. Gerda's mond ging boos open. Ze dacht dat al velen dat Lena beloofd zouden hebben en dat ze deze beloften kende. Keetenheuve dacht: je hebt gelijk, ik wil Lena weer zien, ik wil haar aanraken, ze prikkelt daartoe, en mij prikkelt ze speciaal; dat is het. *Keetenheuve een slecht mens.* Maar hij nam zich toch voor met Korodin, die relaties met fabrieken had, misschien ook met Knurrewahn of met een in arbeidszaken ingevoerde collega van zijn fractie over Lena te praten. Hij wilde haar helpen. De mecanicien moest bij zijn werkbank komen. *Keetenheuve een goed mens.* Hij vroeg Lena de volgende avond weer in het wijnlokaal te kijken. Gerda pakte Lena's hand. De meisjes verdwenen in de nacht. Keetenheuve bleef in de nacht achter.

Nacht. Nacht. Nacht. Geen goede maan. Een weerlicht. Nacht. Nacht. Nachtleven. In de omgeving van het station probeerde men het. Lemuren. In de bar staarden lemuren wezenloos naar een knokig spook dat een record in non-stop-pianospelen wilde vestigen. Het spook zat met doorzwete kousen achter een oude vleugel en hamerde, omringd door volle asbakken en lege coca-colaflessen, uit de toetsen de melodieën die elke luidspreker brulde. Van tijd tot tijd ging een kelner bij het spook staan, stak met een onverschillige kop een sigaret in diens mond of goot verveeld een glas coca-cola in diens keel. Het spook knikte dan als de dood in de poppenkast, wat dankbaarheid en kameraadschappelijke verbondenheid moest uitdrukken. Nacht. Nacht. Lemuren. De Rijnoevertrein flitste. Hij flitste naar Keulen. Bij het station in Café Kranzler zaten dikke mannen en zongen *Ich hab' noch einen Koffer in Berlin*. Ze keken naar dikke vrouwen en zongen *Ich hab' so Heimweh nach dem Kurfürstendamm*, en de dikke vrouwen dachten: referendarissen, hogere regeringsambtenaren, ambassaderaden, en ze wiebelden met hun vet op de Berlijnse wijze, varkenslever met appels en uien, snoten hun neus op z'n Berlijns: 'Kom dan toch kleine steeds de jatten tussen de bloempotten,' en de agenten, de reizigers, de kruipers dachten: wat een prachtwijf, net die ouwe thuis, iets te vlot, dertig piek, de ouwe doet het 's zondags thuis voor niks, moet maar een tijdschrift kopen, vergeet anders hoe een wijf gebouwd is. 'Ik pas.' Ze speelden Berlijns skaat en dronken hun witbier met grenadine uit grote urineglazen. Nacht. Nacht. Lemuren. Frost-Forestier ging naar bed. De fabriek Frost-Forestier werd stilgelegd. Hij turnde aan het rek. Hij ging onder de douche staan. Hij wreef het getrainde, het geproportioneerde lichaam krachtig af. Hij dronk twee slokken cognac uit een hoog cognacglas. Het grote radiotoestel las nieuwsberichten. In Moskou niets nieuws. Oproepen aan het sovjetvolk. Het kleine radiotoestel schreeuwde: 'Dora heeft luiers. Dora heeft luiers.' Op de tafel lag een fotokopie van het interview met de generaals van het Conseil Supérieur des Forces Armées. Mergentheims telefoonnummer staat op de banderol. Op de banderol staat: informeren naar Guatemala. Het zwarte fotopapier met de witte letters ziet eruit als een corpus delicti. Frost-Forestier windt de wekker op. Deze is gezet op vijf uur dertig. Frost-Forestiers bed is smal. Het is hard. Een dunne deken bedekt Frost-Forestier. Frost-Forestier pakt een deel van het verzameld werd van Frederik de Grote. Hij leest. Hij leest Frederiks gebrekkig Frans. Hij bekijkt een gravure, een afbeelding van de koning, de koning met het hazewindhondengezicht. Frost-Forestier dooft het licht. Hij slaapt als op commando in. Achter de generaalrode gordijnen buiten in het park krast een uiltje. Nacht. Een uiltje krast. Het betekent dood. *Een hond heeft geblaft. Jodenmop. Betekent dood. Kettenheuve bijge lovig.* Nacht. Nacht. Lemuren. Op de eerste verdieping kozen ze de schoonheidskoningin van de nacht. Avondjurken als wapperende toiletraamgordijnen. Een spreekstalmeester, altijd vrolijk, altijd opgewekt, stond achter de huismicrofoon en nodigde de dames ter verkiezing uit. Gegiechel van de dames. Beschaamde blikken op de geoliede vloer. De spreekstalmeester, altijd vrolijk, altijd opgewekt, zette door wat hij erdoorheen wilde jagen *Keetenheuve opruier in het Lagerhuis*. De spreekstalmeester, altijd vrolijk, altijd opgewekt, begaf zich onder de gasten, champagnetafels, verplichtwijndrinkentafels, champagne- en wijnagenten, pakte de handjes van de dametjes, leidde ze op het gladde parket der beslissing, stelde ze voor, stelde ze bloot; stelde ze kandidaat, ontspoorde huisvrouwen, ertussenuitgeknepen moeders, gewaden uit de thuisadviseur *eenvoudig en stralend*, hoe verwijder ik spermatozoa, wat kook ik gezond, vraagt u mevrouw Christine zij geeft de allerdomste adviezen, onvrije, verkrampte, maar mateloos verwaande bewegingen. Keetenheuve stond bij de ingang *Keetenheuve slechte gast klaploper flessendwang flessenkind neem de fopspeen* hij dacht aan het parlement, tweede lezing van de wet, dat was morgen, geen wet voor schoonheidsrepliken, mijnheer de president, mijne dames en heren, een beslissing van eminente betekenis, we stemmen via de drie deuren, ik loop door de verkeerde deur, ergert de fractie, we zijn stemvee, schapen ter rechter en schapen ter linker zijde, de spreekstalmeester, altijd vrolijk, altijd opgewekt, vooruit vooruit opschieten opschieten!, hij wacht op de aanname van de wetten. Keetenheuve dacht: wat haal je overhoop, wat zul je hen beledigen, ieder van deze ganzen, het plukken niet waard, beschouwt zichzelf als mooi, ziet zichzelf in haar dromen als onweerstaanbaar, hun ijdelheid is nog groter dan hun domheid, ze zullen het je kwalijk nemen. De spreekstalmeester echter, vooruit vooruit opschieten opschieten!, vrolijk opgewekt, werd niet gekweld door dergelijke scrupules. Opgewekt bleef hij bij het eenmaal begonnen werk. Hij nummerde zijn gouden schare, vroeg de geëerde gasten, vroeg de agenten, gestaarte bokken, de nummers van de uitverkorenen, de nummers van de mooisten op de in de zaal uitgedeelde stembriefjes te schrijven. Was echter geen mooie in de zaal. Waren allen onaantrekkelijk. Ze waren lelijk. Ze waren de lelijke Rijndochters. Wagalaweia, gratiën, trutten, afgekozenen. Kijk nog maar eens! Een dierlijk knappe is er. Vlees op de markt. Een roze raaf. Keetenheuve koos haar. *Keetenheuve vervulde stemplicht. Keetenheuve staats-burger.* Ze had gewelfde zinnelijke lippen, een koeienblik, he-laas, Europa *Keetenheuve Zeus*, een ronde boezem, stevige heu-pen, slanke benen, en de voorstelling met haar in bed te liggen was niet onaangenaam. Warm is de nacht. Van de Velde's Vol-komen Huwelijk. Lieveling, hoe moet ik me draaien en wen-den? *Keetenheuve Van-de-Velde-echtgenoot.* Hij was nieuwsgie-rig. Hoe stonden de kansen om te winnen? Won zijn favoriet de wedstrijd? Maar één stem voor de dierlijk knappe! Ze was de laatste. Een benige klerenstandaard met dameskapsel en gan-zengezicht was gekozen; viel onder het soort 'net meisje met degelijke uitzet'. Schoonheid niet vereist. In de slaapkamer schemerige lampen. Alle katten grijs. Fanfare van de kunste-naarsband. De spreekstalmeester, altijd vrolijk, altijd opgewekt, reikte doosjes uit met kleverig snoepgoed. Lieftallig glimlachen van de schoonheden. *Lieftallig meisje, luister naar mijn smeken. Keetenheuve afgedankte zanger.* De agenten klapten en bestelden de tweede fles; opgewonden, gestaarte bokken. Actieve ver-tegenwoordigers gezocht. Doelbewuste arbeiders. Werkte Kee-tenheuve doelbewust? *Wordt Keetenheuve verstandig? Nee, hij wordt niet verstandig. Is hij veroordeeld? Ja, hij is veroordeeld. Geen stem: is gered? Geen stem.* Nacht. Nacht. Lemuren. Een chiquere plaats, een voornamere plek. François-Poncet was niet versche-nen. Ging in Parijs uit in het rokkostuum van de academici. Pal-menbestikt. Hij werkte aan het woordenboek. Zat op Pétains stoel. Ze wist niet in welke arm ze lag, maar het was een maat-schappelijk aanvaardbare arm, en het hoofd bij de arm hoorde bij een whisky-reclame, King Simpson Old Kentucky Home American Blend, dat vroeg om vertrouwen, en ze danste bij het weerlicht op een terras aan de Rijn, Sophie Mergentheim uit de verkoopafdeling van het oude *Volksblad* in Berlijn. Berlijnse kamers, kamers aan de binnenplaats, donkere kamers, in beslag genomen, gekerkerd, verbrand, verwoest, ze behoorde tot het schuim op de pudding, crème de la crème, roodachtige fond, gouden schuim, karamel geworden, eidooiers in het blonde haar gekwakt. Mergentheim belde op. De gastheer verliet discreet het vertrek. Diplomaat. Wat doet hij? Hij luistert discreet. Hij tapt de leiding af. Mergentheim belde met de redactie. Hij vergewiste zich. Het artikel stond in de krant. De krant was bijtijds op het station gekomen. Mergentheim zweette in zijn rokkostuum. Hij dacht: hij is toch mijn vijand, een man met zulke meningen is mijn vijand. Nacht. Nacht. Lemuren. Keetenheuve ging de kelder in. 'Bei mir biste scheen' − dat vond onder de grond plaats. 'Bei mir biste de Scheenste auf der Welt' − dat was catacombenlucht, maar niet de catacomben onder de kathedraal, niet Korodins grafsteden uit de Frankisch-Romeinse tijd, dat was Keetenheuve's nachtstede uit de tijd van de westerse samenzwering, het rook niet naar verrotting en niet naar wierook, het rook heel sterk naar sigarettenwalm, naar jenever, naar meisjes en naar mannen, de boogie woogie en de polka werden gedanst en beide onstuimig, het was het café van de jongelui die geen studentenpet droegen en geen rapier nodig hadden om zichzelf te voelen, het was een echte catacombe, een schuilkelder, een bolwerk van de oppositie van de jeugd tegen de oude bedden van de stad, maar de jonge oppositie hokte daar als grondwater, maakte voor één nacht lawaai in de bron en stroomde dan weg in collegezalen, in strebersseminars, op bureaukrukjes en op de werkplek van de apothekersassistente. 'We komen allen, allen in de hemel,' speelde de studentenband. Keetenheuve stond aan de bar. Hij dronk drie borrels. Hij dronk ze snel achter elkaar, sloeg ze achterover. Hij voelde zich oud. Hij kwam ook niet in de hemel. De jongelui wervelden. Een dampend borrelend gistdeeg. Naakte armen, naakte benen. Openstaande overhemden. Naakte gezichten. Ze vermengden. Ze verzengden. Ze zongen: 'Omdat we zo braaf zijn, omdat we zo braaf zijn.' Keetenheuve dacht: jullie zullen braaf in de verachte slaapkamerbedden van de ouders gaan liggen, jullie zullen geen nieuwe bedden bouwen, maar misschien verbranden de oude bedden eer het zover is, misschien verbranden jullie, misschien liggen jullie in het gras. Het was een gedrang voor de bar,

maar hem deed het niets. Ze raakten hem niet aan. Hij stond
daar geïsoleerd. Elke zou een medium zijn geweest dat Keetenheuve met de jonge wereld zou hebben verbonden. Daarom
durfde hij hen niet uit te nodigen met hem te drinken. Jongeman noch meisje durfde hij uit te nodigen. *Keetenheuve de stenen
gast.* Hij verwijderde zich. *Keetenheuve schooljongen met wie de
anderen niet willen spelen.* Nacht. Nacht. Lemuren. Korodin
bad. Hij bad op een zolderkamer. De kamer was niet gemeubi-
leerd, op een voetenbankje na dat voor een crucifix stond dat
ernstig aan de gewitte muur hing. Korodin knielde op het voetenbankje. Een kaars brandde. Hij flakkerde. Het raam van de
zolderkamer stond open. Het weerlicht was sterker geworden,
en de bliksemschichten illumineerden de kamer. Korodin was
bang voor het hemels vuur, en het was een kastijding dat hij het
raam niet dicht deed. Hij bad: ik weet dat ik slecht ben; ik weet
dat ik niet goed leef; ik weet dat ik alles aan de armen zou moeten geven; maar ik weet ook dat het zinloos zou zijn; geen enkele arme zou rijk, geen enkel mens zou beter worden. Heer, straf
me als ik me vergis! De gekruisigde, door een meester uit rozen-
hout gesneden, zag er in het licht van de bliksemschichten pijn-
gekromd, ziek, lijdend, hij zag er uitgeteerd uit. Hij was een zin-
nebeeld van smart. De smart bleef stom. Ze gaf Korodin geen
antwoord. Korodin dacht: ik zou weg moeten gaan. Ik zou niets
moeten weggeven. Dat is allemaal uiterst verkeerd. Dat houdt
alleen maar op. Dat leidt alleen maar af. Ik zou gewoon weg
moeten gaan. Weggaan en steeds verdergaan. Ik weet niet waarnaartoe. Ik heb geen doel – en hij besefte wel dat het eropaan
kwam geen doel te hebben. Het niet-doel was het ware doel.
Maar hij was bang voor de bliksemschicht. Hij was bang voor
de beginnende regen. Hij bad verder. Christus bleef zwijgen.
Nacht. Nacht. Lemuren. Bij het station brulden dronkelap-
pen. Ze brulden: 'De infanterie!' Voorbij! Ze brulden: 'We willen onze keizer Wilhelm terughebben.' Voorbij! In portieken
stonden tippelende homo's die zich aanboden. Voorbij. Bij het
station stonden vilrijpe dodenrossen der lust te wachten op een

ruiter. Voorbij. Het bliksemde en donderde. De regen viel. Keetenheuve nam een taxi. Er bleef hem niets anders over. Hij
moest naar huis rijden. Naar huis in de poppenkamer. Naar huis
in het getto. Naar huis in het regeringsgetto, in het getto van
de afgevaardigden, in het getto van de journalisten, het getto
van de ambtenaren, het getto van de secretaresses. Het bliksemde en donderde. Hij opende het vanaf het lage kamerplafond tot
aan de grond reikende Franse raam. Het smalle opklapbed
stond omlaaggeklapt op hem te wachten, zoals hij het had verlaten. Het beddengoed was niet opgemaakt. Boeken lagen
opengeslagen in de rondte. Schriften lagen in de rondte. Een
tafel was bedekt met papieren, met schetsen, met ontwerpen,
met half opgestelde redevoeringen, ingevingen, besluiten, met
begonnen opstellen, met achtergelaten brieven. Keetenheuve's
leven was een ontwerp. Het was een ontwerp voor een werkelijk
leven; maar Keetenheuve kon zich het werkelijke leven niet
meer voorstellen. Hij wist niet hoe het eruitzag; en hij zou het
vast en zeker niet meer leven. Een brief van Elke lag tussen de
papieren. Haar laatste brief. Elke was de kans geweest, de kans
op een ander leven. Misschien. Hij had de kans verspeeld. Voorbij. Bliksemschichten. Bliksemschichten boven een graf. Hij zag
de treurige altijdgroene planten van het kerkhof in het schijnsel
van vale bliksemschichten. Hij ademde de lucht in van de muffe
vochtige haag van buksbomen, de zoete verrotting van de verlep-
te rozen in de doodskransen. De kerkhofmuur dook weg in het
licht van de bliksemschichten. Angst en beven. Kierkegaard.
Kindermeisjestroost voor intellectuelen. Zwijgen. Nacht. *Keetenheuve angstige nachtvogel Keetenheuve wanhopige nachtuil
Keetenheuve ontroerde wandelaar door dodenlanen gezant in Guatemala lemuren begeleiden hem*

5

Hij werd wakker. Hij werd vroeg wakker. Hij werd wakker na een onrustige slaap. Hij werd wakker in het getto.

Elk getto was door onzichtbare muren omgeven en lag er tegelijkertijd open bij, blootgesteld aan elk overzicht en elke inkijk. Keetenheuve dacht: getto van Hitler en Himmler, getto van de gedeporteerden en getto van de opgejaagden, de muren, de wal, de verbrandingsovens van Treblinka, de opstand van de joden in Warschau, alle kampen van na de oorlog, elke barak die ons aangaat, alle nissenhutten, alle bunkers, allen die verdreven zijn en allen die gevlucht zijn – de regering, het parlement, de ambtenaren en hun gevolg, we zijn een vreemd lichaam in het trage vlees van de hoofdstad.

Zichtbaar waren van de ruimte vier wanden, zichtbaar plafond, raam en deur van de kleine kamer, en te zien waren, het gordijn open, de jaloezie omhoog, de voorgevels van de andere gettohuizen, de snel opgetrokken barakken, met hun platte daken, grote ramen, stalen lijsten, hoog de lucht in. Ze leken op het woonkwartier van een groot rondreizend circus, op de kramen van een tentoonstelling; ze waren gebouwd voor de afbraak. Een mejuffrouw secretaresse nam een bad. Het water ruiste in buizen door de muur. De mejuffrouw secretaresse waste zich grondig, zeepte zich in, spoelde zich af, ambtelijk vuil loste op, stroomde over de borsten, die hingen, helaas, stroomde over het lichaam, langs de dijen, dreef de afvoer in, viel in de onderwereld, vermengde zich met het rioolwater, met de Rijnstroom, met de zee. De spoelingen van de wc's klotsten en liepen. Stront scheidde zich van de mensen. Een luidspreker kraste: 'Een, twee, drie, naar links geneigd, een, twee, drie, naar rechts gebogen.' Een nar gymnastiekte. Hij huppelde, je hoorde het, een zwaar lichaam, poedelnaakt, kletsvoetig over de vloerplanken. Het was Sedesaum, de kikkermens. Uit een andere luidspreker piepte een kinderkoor. 'Laat ons zingen, dansen en springen.' De stemmen van de kinderen klonken gedrild, ze leken verveeld te zijn, het gezang was dom. De afgevaardigde mevrouw Pierhelm luisterde naar de kinderen. Mevrouw Pierhelm leefde uit het blik. Ze maakte een kop koffie uit het nescaféblik, mengde het met blikjesmelk en wachtte op de uitzending *Wij huisvrouwen en het veiligheidsverdrag.* Mevrouw Pierhelm had veertien dagen geleden de uitzending in Keulen ingesproken op de bandrecorder.

Keetenheuve lag op het smalle opklapbed. Hij staarde omhoog naar de omlijsting van het bed, een met boeken bedekte plank, en hij staarde verder omhoog naar het lage plafond, waarop de groeven in de nauwelijks gedroogde pleisterlaag een patroon van ineengestrengelde lijnen vormden, een verward wegennet, de stafkaart van een onbekend land. Mevrouw Pierhelm was nu op de radio te horen: 'Wij huisvrouwen mogen niet, wij huisvrouwen moeten, wij huisvrouwen vertrouwen.' Wat mocht mevrouw Pierhelm niet, wat moest ze, wie vertrouwde ze? In de stafkaart brokkelde het. Een nieuw graf werd opengescheurd. Mevrouw Pierhelm riep uit Keulen: 'Ik geloof! Ik geloof!' Mevrouw Pierhelm in de ether geloofde. Keetenheuve op zijn opklapbed geloofde niet. Mevrouw Pierhelm, muur aan muur met Keetenheuve in het gettohuis, mevrouw Pierhelm, het kopje met het nescafé-blikjesmelkmengsel, de asbak met haar ochtendsigaret voor zich, de afgevaardigde mevrouw Pierhelm, een struise vogel, stak haar hoofd diep in de kastkoffer, waar ze schoon ondergoed zocht, wie waste je hemd als je aan de toekomst van het volk werkte, de politica mevrouw Pierhelm luisterde tevreden naar de spreekster Pierhelm, die tot de conclusie kwam dat het verdrag de Duitse vrouwen veiligheid gaf, een mooie leus, die alleen te veel deed denken aan de advertentie van een fabriek voor intieme tampons.

Het was nog vroeg. Keetenheuve was een vroege opstaander, en bijna allen in Bonn waren matineuze geesten. De kanselier bereidde zich rozengeuromwaaid en gesterkt door de Rijnlucht die zijn tegenstanders verlamde al op de zitting voor en Frost-Forestier zou zich allang weer als een door sterke spanningen bewogen machine op gang hebben gebracht. Keetenheuve dacht: zal hij weer tastend zijn weg zoeken, wat zal hij mij vandaag aanbieden, Kaapstad, Tokio? Maar hij wist dat Frost-Forestier hem geen post meer zou aanbieden, en wanneer het avond was zouden ze hem opjagen.

Keetenheuve was rustig. Zijn hart klopte rustig. Hij voelde een lichte spijt dat Guatemala aan zijn neus voorbij moest gaan. Hij dacht met spijt aan het feit dat hij afzag van de dood op de Spaans-koloniale veranda. Guatemala was een echte verzoeking geweest. Hij had er niet aan toe hoeven geven. Hij was vastbesloten. Hij zou vechten. De radio's zwegen. Je hoorde enkel het zomerse ochtendlied van de hoofdstad: grasmaaiers die ratelend als oude naaimachines over de gazons werden getrokken.

Sedesaum, de kikkermens, huppelde de trap af. Bij elke trede deed zijn neerkletsen het lichtgebouwde huis trillen. Sedesaum was beroepschristen, God moge hem vergeven, en omdat er geen kapel in de buurt was, huppelde hij elke morgen naar de melk- en broodwinkel om een daad van deemoed en publicity te verrichten, en de geïllustreerde tijdschriften hadden ook al de dicht bij het volk staande volksvertegenwoordiger *jullie zorgen zijn mijn zorgen* met melkfles en broodzak in de arm in beeld gebracht, en bovendien was wat hij hier ondernam ook nog een daad van tolerantie, de samaritaan ondersteunde zijn mislukte broeder, en in het hiernamaals werd het van hem gewaardeerd. Sedesaum kocht zijn ontbijt bij Dörflich. Dörflich had de enige winkel in de wijde omtrek, dus een monopolie, je moest bij hem kopen, maar helaas was Dörflich ook een bron van ergernis, je kon hem met een afvallige priester vergelijken, hij was een uit zijn fractie verstoten afgevaardigde, die echter nog niet de parlementaire wijdingen had verloren. Hij was bij een obscure en in eerste instantie winstgevende affaire betrokken geweest, waarin helaas de journalisten geïnteresseerd waren geraakt en die vervolgens, door ontkenningen en rehabilitaties opgerakeld, niet meer te verdoezelen en niet meer voordelig was geweest; Dörflich werd als zondebok de woestijn van de fractieloosheid ingestuurd, waar hij tot ontzetting van alle collega's in het parlementariërsgetto de melkwinkel opende. Wilde Dörflich zich witwassen met koemelk doordat hij erop speculeerde dat zijn klanten van hem zouden zeggen dat hij een prijzenswaardig man was, of wilde hij alleen de winst uit het lucratieve obscure zaakje veiligstellen; hoe het ook zij, *non olet*, bij Dörflich stonk merkbaar alleen de kaas, ook al meende Keetenheuve een bedorven geur die niet uit de kaasstolp kwam in Dörflichs nabijheid te ruiken. Bovendien vond Keetenheuve het verstandig van Dörflich dat hij zich door de melkhandel van een bestaansbasis had verzekerd die langer duurde dan de onzekerheid van nieuwe verkiezingen. Hij deelde de verontwaardiging van zijn parlementsgenoten niet en hij dacht zelfs: we zouden ieder onze melkwinkel moeten hebben, zodat onze broodmand niet aan onze gestorven ideeën wordt uitgehuwelijkt. Dus had Keetenheuve er plezier in uit het raam van het gettohuis te zien dat Dörflich de goederen uit zijn afgevaardigdenauto tilde, en Keetenheuve nam het voor lief dat de zwarte en voorlopig fractieloze volksvertegenwoordiger zijn handelswaar waarschijnlijk op kosten van de overheid verplaatste. Maar afgezien van deze wellicht immorele geamuseerdheid mocht Keetenheuve Dörflich niet en Dörflich van zijn kant haatte *Keetenheuve het intelligentsiabeest*. Zo werd Keetenheuve, toen hij eens bij Dörflich de melk probeerde, opzettelijk een zuur geworden drank voorgeschoteld, en Keetenheuve dacht: wie weet, wie weet, misschien zien we elkaar in het Vierde Rijk terug, Dörflichs ministerszetel staat al tussen de melkkannen verborgen en mijn doodsvonnis is getekend.

Keetenheuve keek door het raam naar buiten, en hij zag de

omgeving als een fotografische opname, als de interessante ca-
mera-instelling van een film, een stuk gazon was gedeeltelijk in
beeld gebracht, en op het groene frisse tapijt duwde een meisje
in een witte dienstschort, met wit dienstkapje (een meisje zoals
ze er helemaal niet meer waren en zoals ze plotseling als spoken
in Bonn opdoken) tegen een ratelende grasmaaimachine, en het
gettohuis tegenover Keetenheuve helde als een koele façade van
beton, staal en glas omlaag tot aan Dörflichs melkwinkel, waar
Sedesaum, melkfles en broodjeszak in het ronde armpje, klein
uit de schaduw van de witblauwgestreepte markies huppelde,
klein, ijdel en deemoedig, klein, vroom en sluw, en zo zou hij, de
melk en het broodje vervolgens in het ronde buikje, klein, deemoedig en ijdel, klein, sluw en vroom, de vergaderzaal binnen-
huppelen, een jazegger, een zanger des Heren, en de Heer hoefde niet per se als de Heer Sabaoth boven de sterrenhemel te
wonen, Sedesaum vond steeds de formule om aardse en hemelse herendienst voor zijn geweten en voor de wereld welluidend
op elkaar af te stemmen, en nu volgde hem die over het plein
huppelde, zijn rechter voet kletste ijdel, de linker kletste deemoedig neer, volgde hem uit de schaduw van de markies Dörflich, die voor vandaag zijn melkwinkel aan zijn wettige echtge-
note overliet en in het blauwe pak en met gesteven overhemd
met een demonstratieve patriarchale achtenswaardigheid in de
van melkkannen en broodmanden verloste afgevaardigdenauto
ging zitten om naar het parlement te rijden en daar zijn mandaat uit te oefenen. Keetenheuve kreeg een onbehaaglijk gevoel
van dit schouwspel. Het was niet te voorspellen hoe Dörflich
zou stemmen. Graag marcheerde hij met de sterkere bataillons,
maar sinds hij fractieloos was geworden sprak hij liever voor
stoelen en banken, sprak in frases om aanhangers te winnen,
voor de ontevredenen in het land, viste in troebel water, en dus
viel te vrezen dat hij dit keer met de oppositie zou stemmen, ook
al was het om onduidelijke en egoïstische motieven. Keetenheuve schaamde zich voor zo'n naar het oude nazisme riekende
en naar het nieuwe nazidom strevende bondgenoot (nog was de

wind niet echt opgestoken), zoals over het algemeen de toevals-
fronten die ontstonden, de samenwerking met de onverzettelij-
ken, de ontstemden, de dictatorialen, de in het gunstigste geval
middelmatigen, die een of andere sektenwaan oppositioneel en
zachtaardig had gestemd, Keetenheuve ergerden, hem hinder-
den en hem uiteindelijk aan het twijfelen brachten over zijn
zaak. Pas toen hij mevrouw Pierhelm en Sedesaum samen – hij
huppelde en zij liep met geheven hoofd en vastberaden tred –
het huis zag verlaten, arme ridders van de oude unie van de
strenge hand, de kleine aanhangers van de brave de bestaande
staatsvorm consoliderende mentaliteit en van de jaloerse Europese Kolen- en Staalkliek (niet dat ze mijnen bezaten, maar ze
wisten toch waar Abraham de mosterd haalt, waar het bron-
netje stroomde, waar in de verkiezingspot werd gepist, maar
niet dat ze zichzelf verkochten, bij God warempel niet, de richting lag hun gewoon, ze hadden het nog op school vernomen,
en daarbij waren ze gebleven, simpele tweederangsscholieren
van de politiek en ingenomen met de groet van mijnheer de
leraar), toen voelde Keetenheuve zich weer geroepen om hen te
bestrijden en hen, die weer als schapen naar de slachtbank geleid wilden worden, af te remmen. Maar het schaap, dat is zijn
aard, doolt onverstoorbaar rond, en de kudde, dat is juist haar
aard, volgt, door elke waarschuwing enkel nog meer verschrikt,
angstig het voorste dier naar het ongeluk. De herder heeft echter zijn eigen gedachten over de bestemming van de schapen.
Hij verlaat ongeslacht het abattoir en schrijft ver van de bloed-
plaats de *Herinneringen van een schaapherder*, tot nut en voordeel
van andere herders.

Het parlementsgebouw was op deze dag door de politie af-
gegrendeld en de troepen lieten de hysterische paraatheid zien
van alle gedrilde manschappen die op het exercitieplein het
spokenzien was bijgebracht, en ze bezetten en omsingelden het
gebouw van de volksvertegenwoordiging met wapens, water-
kanonnen en Spaanse ruiters, alof de hoofdstad en het land
tegen de Bondsdag in opstand wilden komen (en dan zou hij

zijn weggestuurd), terwijl Keetenheuve, die zich steeds weer opnieuw moest legitimeren, de indruk had dat buiten enkele nieuwsgierigen en kijklustigen alleen een paar mensen die goedkoop hierheen waren gereden, enkele mensen die niet duur waren vervoerd, arme claqueurs met geschreeuw demonstreerden, die eigenlijk pas door de massieve inzet van hun politie-opponenten betekenis kregen. Ze schreeuwden dat ze hun afgevaardigden wilden spreken, en Keetenheuve dacht: dat is toch hun goed recht, waarom laat men ze niet met hun afgevaardigden spreken? Hij zou bereid zijn geweest met de schreeuwers te spreken; maar het was de vraag of ze hem bedoelden, of ze hem wilden spreken. *Keetenheuve man van het volk geen man van het volk.* De in wezen armzalige demonstratie was treurig, omdat de doffe lotsberusting van het ware volk eruit bleek, dat vanuit een gevoel dat alles toch zo ging als het moest gaan, wij kunnen er toch niets aan doen, wetten en beslissingen die het wel afwees niet verhinderde, het niet eens probeerde, maar bereid was de gevolgen te dragen; – de dobbelstenen waren dan toch maar weer eens gevallen. Zo deed de scène voor het parlement denken aan de première van een film, een niet te grote menigte domme en kijklustige mensen die tijd over hebben, is verschenen voor de bioscoop en wacht op de bekende gezichten van de stars. Er wordt gefluisterd, daar komt Albers, en een criticus die de film kent zou de straatjongens die joelen gelijk kunnen geven; maar de bengels fluiten helemaal niet omdat ook zij de film slecht vinden, ze joelen omdat ze het snerpende gejoel leuk vinden en de strenge mening van de criticus zou voor hen onbegrijpelijk blijven en hun zelfs tegenstaan. Keetenheuve wist, terwijl hij de Bondsdag naderde, hoe verward en discutabel zijn opdracht was. Maar welk systeem was beter dan het parlementaire? Keetenheuve zag geen andere weg; en de schreeuwers die het parlement helemaal wilden afschaffen, waren ook zijn vijanden. *Praatbarak sluiten. Voldoende een luitenant met tien man. En kapitein von Köpenick.* Juist daarom schaamde Keetenheuve zich voor het schouwspel dat hij zag. De president van de

Bondsdag liet zijn gebouw door politieagenten bewaken, terwijl elk echt parlement zich zou moeten beijveren de gewapen-
de organen van de uitvoerende macht zo ver mogelijk van zijn
domicilie te houden, en in de goede oertijden van het parlementaire idee zouden de afgevaardigden hebben geweigerd onder
politiebescherming zitting te houden, want het parlement was
toen, hoe het ook samengesteld mocht zijn, politievijandig
omdat het de oppositie als zodanig was, de oppositie tegen de
kroon, de oppositie tegen de willekeur der machtigen, de oppositie tegen de regering, de oppositie tegen de uitvoerende macht
en hun sabels, en zo betekende het een pervertering en een ver-
zwakking van de volksvertegenwoordiging wanneer uit hun
midden de meerderheid een regering vormde en de uitvoerende
macht naar zich toetrok. Wat betekent dit bij een ongelukkige
samenstelling van de Kamer anders dan dictatuur in tijdelijke
dienst? De meerderheid executeert haar tegenstanders niet;
maar ze is toch een kleine tiran, en terwijl zij heerst is de minderheid eens en voor altijd verslagen en tot een in wezen zinloze
oppositie verdoemd. De fronten stonden vast, en helaas was het
ondenkbaar dat een spreker van de oppositionele minderheid
de regerende meerderheid ervan kon overtuigen dat hij een keer
gelijk en zij ongelijk had. Vanuit de oppositie de koers van de
regering te veranderen zou in Bonn zelfs Demosthenes niet
lukken; en ook als men met de tong van een engel zou spreken,
zou men voor dovemansoren preken, en Keetenheuve wist, terwijl hij het laatste politiekordon passeerde, dat het alles wel
beschouwd zinloos was dat hij hier verscheen om in de vergadering te spreken. Hij zou niets veranderen. Hij had even goed in
bed kunnen blijven en kunnen dromen. En zo naderde de afgevaardigde niet hooggestemd maar weggestemd het onderkomen van zijn fractie: *Napoleon die op de morgen van de veldslag
weet hoe Waterloo zal aflopen*

In de kamer van de fractie zaten ze op hem te wachten; Heineweg en Bierbohm en de andere routiniers van de commissies,
de procedurerotten, de reglementenhengsten keken al weer ver-

wijtend naar Keetenheuve. Knurrewahn inspecteerde de parade der zijnen, en kijk, er ontbrak zonder excuus geen dure kop. Ze waren uit de provincie naar de zitting gereisd, de provincielucht hing in hun kleren, ze namen die mee de zaal in, een duffe lucht uit benauwde kamers, waarin ze echter kennelijk afgezonderd verbleven, want ook zij vertegenwoordigden niet onmiddellijk het volk, dachten niet meer als het volk, ook zij waren – kleine, uiterst kleine – preceptoren van het volk, niet zozeer leraren, maar toch achtbare of onachtbare personen, voor wie de mensen hun bek hielden. En zij op hun beurt, zijn heerscharen, hielden hun mond voor Knurrewahn, die soms voelde dat hier iets niet klopte. Hij bekeek zijn zwijgende garde, rondkoppigen en langschedeligen, brave kerels op wie hij zich kon verlaten. Trouw gebleven in de tijd van de vervolging, maar allen ontvangers van bevelen, een manschap die voor de sergeant-majoor in de houding stond, en Knurrewahn, die nu boven zat, als man van het volk, zeker, maar toch boven in de kring der hoofdgoden, dicht bij de regering en invloedrijk, Knurrewahn luisterde tevergeefs naar een wenswoord van onderen, naar een vrijheidsschreeuw, naar een hartslag die uit de diepte kwam, geen onverbruikte kracht, amper te beteugelen, kwam op, geen ongeremde wil tot vernieuwing, geen moed om de oude dode waarden ten val te brengen was te bespeuren, zijn afgezanten brachten geen echo van de straten en pleinen, van de fabrieken en van de mijnen mee, integendeel, zij waren het die naar instructies luisterden, naar aanwijzingen van de leiding, naar bevelen van Knurrewahn, zij steunden de partijbureaucratie van het hoofdkantoor en waren enkel buitenposten van deze bureaucratie, en hier lag de wortel van het kwaad, ze zouden terugreizen naar hun provincieplaatsen en daar verkondigen dat Knurrewahn wil dat we ons zus of zo gedragen, Knurrewahn en de partij wensen, Knurrewahn en de partij bevelen, in plaats van het omgekeerde, namelijk dat de provinciegezanten tegen Knurrewahn gezegd zouden hebben, het volk wenst, het volk wil niet, het volk draagt jou, Knurrewahn, op, het volk verwacht van jou, Knurre-

wahn – niets. Misschien wist het volk wat het wilde. Maar zijn
vertegenwoordigers wisten het niet, en daarom deden ze alsof er
tenminste een sterke partijwil was. Maar waar kwam die vandaan? Uit de kantoren. Hij was impotent. Van de zaadstrengen
van de volkskracht was de partijwil afgesneden, de krachtlijnen
liepen dood in het onzichtbare, en eens moesten ergens in het
volksbed polluties en bevruchtingen plaatsvinden die onge-
wenst waren. De partijleiding kende haar leden enkel als contri-
butiebetalers en, minder vaak, als ontvangers van bevelen. Daar
liep de machine gesmeerd. En als Knurrewahn de opheffing van
de partij zou hebben bevolen, zouden de plaatselijke afdelingen
de opheffing voltrekken, als Knurrewahn de zelfdoding als offer
aan de natie zou verordonneren – de partij had al sinds negen-
tienhonderdveertien een nationale hartkwaal. Weinigen weiger-
den zich te schikken (en maakten zichzelf daardoor verdacht).
Daar was Maurice, de advocaat, en daar was Pius König, de
journalist, Knurrewahn had ze nodig, maar eigenlijk kreeg hij
een onbehaaglijk gevoel van hen, en Keetenheuve maakte hem
werkelijk verdrietig. Hij pakte Keetenheuve bij de arm, nam
hem mee naar een raam en bezwoer hem in het debat niet te
heftig te worden, de nationale instincten (waren die er? waren
het geen complexen, neuroses, idiosyncrasieën?) niet voor het
hoofd te stoten, en hij herinnerde hem eraan dat de partij niet
zonder meer en principieel tegen elke bewapening was en dat ze
enkel de nu ter discussie staande vorm van nieuwe bewapening
afwees. Keetenheuve kende het liedje. Het maakte hem droe-
vig. Hij was alleen. Hij vocht alleen tegen de dood. Hij vocht
alleen tegen de oudste zonde, het oudste kwaad van de mensheid, tegen de oerdwaasheid, de oerwaan dat door het zwaard
het recht verdedigd, dat door geweld iets verbeterd zou kunnen
worden. Het verhaal van Pandora en haar doos is een parabel
voor het kwaad dat voortkomt uit de afhankelijkheid van de
vrouw, maar Keetenheuve zou de oude Knurrewahn graag een
doos van Mars hebben beschreven waaruit, als men haar opendeed, alle kwaad van de wereld dat maar te bedenken was breed,

krachtig en alzijdig vernietigend zou stromen. Maar Knurrewahn wist het wel, ook hij kende de gevaren, maar hij geloofde
(hij leed met de kogel in zijn lichaam bijzonder aan de nationale
hartziekte van zijn partij) het leger in de hand van de democratische staatsmacht te kunnen houden, ofschoon Noske het
leger al eens jammerlijk uit deze democratische hand had laten
vallen.

Keetenheuve werd naar de telefoon geroepen, hij sprak vanuit een cel en hij hoorde het tjilpen van de bezige babbelhelp-
sters van Frost-Forestier, tot Frost-Forestier *Magnus* zelf uit
de hoorn ritselde en Keetenheuve verkondigde dat Guatemala
hem toegewezen zou worden, dat zou soepeltjes gaan wat er
ook zou gebeuren; en Keetenheuve, weliswaar iets verbaasd,
had duidelijk het gevoel dat Mefisto zich aan de andere kant van
de draad bevond, ook al was het een ontmaskerde duivel van wie
je plotseling wist dat hij bij het zooitje hoorde. Hij wenste zich
een moment te kunnen concentreren, om alles nog eens te over-
denken, en hij moest ver denken, hij moest tot aan de Saar denken en tot aan de Oder, hij moest zich Parijs voor de geest halen,
Grünberg in Silezië en Ortelsburg in Masuren, hij moest aan
Amerika en aan Rusland denken, aan gelijk-ongelijke broeders,
Korea, China en Japan, Perzië en Israël en de islamitische staten
moesten in de beschouwing betrokken worden, en misschien
was India het morgenland waaruit het heil kwam, de derde
macht, bijleggend en verzoenend, en hoe klein was het vaderland waarin hij woonde, de onbeduidende lessenaar waarop hij
zou spreken, terwijl supersonische vliegtuigen van continent
naar continent raasden, atoomgranaten proefvluchten voor het
grote sterven boven woestijnen hielden en doodspaddestoelen,
aan de tederste hersenen ontsproten, boven verlaten atollen
opbloeiden. Maar daar kwam Maurice, de advocaat, op Keetenheuve af en gaf hem Mergentheims blad te lezen en dacht goed-
gelovig en advocaterig dat Keetenheuve daaruit toch iets voor
zijn toespraak zou kunnen halen. Keetenheuve hield Mergentheims krant in de hand, en werkelijk waar, hij moest zijn toe-

spraak omgooien. Hij zag dat zijn wapen hem uit de hand was gerukt, dat zijn dynamiet bot was geworden. Mergentheim bracht met vette koppen het interview met de generaals uit het Conseil Supérieur des Forces Armées en hij, de dappere, de dappere baltoespeler, verbond aan het nieuws een commentaar dat men met generaals die zo'n overwinnaarsmentaliteit hebben geen Duits-geallieerd leger zou kunnen opbouwen. Ja, Keetenheuve's kruit was nat geworden! Ze hadden het persbericht dat Dana hem had gegeven in handen gekregen en omdat er in Bonn maar één exemplaar was geweest van deze in het parlement weinig gelezen aflevering van het persbureau, moesten ze het bij hem hebben weggehaald, alleen maar de schaduw natuurlijk, ze hadden het gefotografeerd en waren hem zo vóór geweest, en Frost-Forestiers nieuwe telefoontje over de Spaans-koloniale sterfveranda was dus het vriendelijke genadebrood, dat men zelfs nog het tandeloos mormel zou geven. Wat er had plaatsgevonden, was Keetenheuve duidelijk, en wat er zou gebeuren, was hem niet minder duidelijk. De kanselier, waarschijnlijk helemaal niet betrokken bij de intrige en voor even kwaad op Mergentheim, zou fel op het artikel reageren, hij zou de verzekering van de Franse en de Engelse regering hebben dat de uitlatingen van de generaals te betreuren waren en ontkend moesten worden en dat de nagestreefde militaire unie hartelijk van aard en duurzaam zou zijn.

Er werd gebeld voor de zitting. Ze stroomden de vergaderzaal binnen, schapen ter linker zijde en schapen ter rechter zijde, en de zwarte schapen zaten helemaal rechts en helemaal links, maar ze schaamden zich niet, ze krakeelden. Keetenheuve kon vanaf zijn plaats niet de Rijn zien stromen. Maar hij stelde zich het stromen ervan voor, hij wist haar achter het grote raam, het pedagogisch-academische, en hij veronderstelde dat zij de volkeren verbond en niet scheidde, hij zag het water zich als een vriendelijke arm om de deelstaten leggen en het wagalaweia klonk nu als toekomstmuziek, een avondlied, een wiegelied in vredestijd.

De president was een zwaargewicht, en omdat hij bij de partij van de goede zaak hoorde, gaf hij haar ook meteen gewicht. Zijn klokje luidde. De zitting was geopend.

Spanning hangt boven de voetbalarena in Keulen. De Erste Fußballclub Kaiserslautern speelt tegen de Erste Fußballclub Köln. Het is van geen belang wie wint; maar twintigduizend toeschouwers beven. Spanning hangt boven het speelveld in Dortmund. De Verein Borussia Dortmund speelt tegen de Hamburger Sportverein. Het maakt helemaal niets uit wie wint; niemand zal verhongeren omdat Hamburg wint, niemand zal verschrikt doodgaan omdat Borussia meer doelpunten maakt; maar twintigduizend toeschouwers beven. Het spel in de vergaderzaal betreft iedereens brood, het kan iedereens dood zijn, het kan deze onvrijheid en die slavernij teweegbrengen, je huis kan instorten, je zoons benen kunnen worden weggeschoten, je vader moet naar Siberië, je dochter geeft zich aan drie mannen voor een vleesblik dat ze met je deelt, je schrokt het naar binnen, je raapt peukjes op die iemand in de goot spuwde, of je verdient aan de bewapening, je wordt rijk omdat je de dood uitrust (hoeveel onderbroeken heeft een leger nodig? Bereken de winst bij de aanname van een marge van veertig procent, want je bent bescheiden), en de bommen, de kogels, de verminking, de dood, de deportatie bereiken je pas in Madrid, je bent nog in je nieuwe wagen ontkomen, je hebt nog één keer bij Horcher gegeten, je bent voor het Amerikaanse consulaat in de rij gaan staan, misschien bereik je Lissabon nog, waar de schepen liggen, maar de schepen nemen je niet mee, de vliegtuigen stijgen zonder jou op, de Atlantische Oceaan over, loont het de moeite? Nee, het is niet te pessimistisch; maar in de vergaderzaal siddert het niet van de spanning, roeren zich niet duizenden. Terecht grijpt de verveling om zich heen. De zeven keer gezeefde toeschouwers zijn teleurgesteld in het spel. De journalisten krabbelen mannetjes op hun papier; de toespraken krijgen ze in proefdruk en het resultaat van de stemming staat vast. Men kent de doelpuntenverhouding tussen de tegenstanders, en niemand zet in op de verliezers. Keetenheuve dacht: waarom die drukte, we zouden het bedroevende resultaat ook zonder elke toespraak in vijf minuten te weten kunnen komen, de kanselier zou niet hoeven te spreken, wij zouden kunnen afzien van de tegenspraak en zij van de verdediging, en onze belangrijke president zou alleen maar hoeven te zeggen dat hij geloofde dat onze wedstrijd zou eindigen in acht tegen zes, en wie het niet wil geloven kan de schapen zelf nog een keer tellen. Daar was de deur waar ze doorheen moesten. Daar stonden de meisjes met de stembiljetkistjes. Ach, daar geeuwde al een volksvertegenwoordiger. Ach, daar dommelde er al een in. Ach, daar schreef er al een naar huis: vergeet ook niet Unhold op te bellen dat hij de spoeling nakijkt, ze druppelt de laatste tijd steeds.

Heineweg diende een voorstel in voor het reglement van orde. Dat leidde tot een ruzieachtig, moeizaam debat en het voorstel werd, wat te verwachten was, weggestemd.

Op de tribune gingen de schijnwerpers van het bioscoopjournaal aan, de telelenzen werden gericht op de wereldster van het gebouw, die in een routineuze nonchalante houding het spreekgestoelte beklom. De kanselier sprak zijn voorstel uit. Hij was in een lusteloze stemming en zag af van effecten. Hij was geen dictator, maar hij was de baas die alles voorbereid, alles georganiseerd had, en hij had een minachting voor het oratorisch theater waarin hij mee moest spelen. Hij praatte vermoeid en zeker als een toneelspeler op de vanwege een andere bezetting noodzakelijk geworden proefreading van een vaak gespeeld repertoirestuk. De kanselier-toneelspeler was ook actief als regisseur. Hij wees zijn medespelers hun plaats. Hij was de meerdere. Keetenheuve beschouwde hem weliswaar als een kille en begaafde rekenaar die na jaren vervelende pensionering verrassend de kans had gekregen om als groot man de geschiedenis in te gaan, als redder des vaderlands te gelden, maar Keetenheuve bewonderde ook de prestatie, de kracht waarmee een oude man een eenmaal opgevat plan vasthoudend en euforisch optimistisch doorzette. Zag hij niet dat zijn hele voornemen uiteindelijk niet zou mislukken door zijn tegenstanders, maar door zijn vrienden? Keetenheuve ontzegde de kanselier niet het geloof. Het was zijn wereldbeeld, dat hij verkondigde, voor hem stond de wereld in brand en hij liet brandweren erbij roepen en brandweren oprichten om de brand tot staan te brengen en te bestrijden. Maar de kanselier, vond Keetenheuve, verloor het overzicht, hij leed, vond Keetenheuve, aan de Duitse ziekte onder geen enkele omstandigheid van een eenmaal gekozen voorstelling van de wereld af te stappen en dus merkte hij niet, vond Keetenheuve, dat vanuit andere posities andere staatslieden de wereld op andere plaatsen door andere branden zagen geteisterd en dat ook zij brandweren erbij riepen en blusploegen uitrustten om de brand tot staan te brengen en te bestrijden. Dus was de kans groot dat de verschillend georiënteerde brandweermannen elkaar bij het blussen in de weg stonden en ten slotte met elkaar zouden gaan vechten. Keetenheuve dacht: laat ons helemaal geen wereldbrandweren in het leven roepen, laat ons uitroepen 'de wereld brandt niet,' en laat ons samenkomen en elkaar onze nachtmerries vertellen, laat ons bekennen dat we allemaal vuurzeeën zien, en we zullen de eigen angst via de angst van de anderen herkennen als waan en in de toekomst beter dromen. Hij wilde van paradijzen van aards geluk dromen, van een wereld van overvloed, van een aarde waarop de moeite overwonnen was, van een Utopiarijk zonder oorlog en gebrek, en hij vergat heel even dat ook deze wereld door de hemel verstoten, onwetend, zonder antwoord door het zwarte heelal zou zweven, waar achter de nabijzijnde misleidende sterren misschien de grote monsters wonen.

Niemand behalve Korodin scheen naar de kanselier te luisteren, en Korodin luisterde scherp of God via de staatsleider sprak; maar Korodin hoorde Gods stem niet, in plaats daarvan had hij soms het irriterend gevoel zijn bankier te horen praten. Heineweg en Bierbohm waagden zich soms aan een interruptie. Nu riepen ze: 'Werk in opdracht!' Ze maakten Keetenheuve aan het schrikken, want het leek hem weerzinwekkend wat ze daar riepen. Pas toen merkte hij dat de kanselier Mergentheims product over de generaals van de Conseil Supérieur citeerde en het artikel perfide noemde. Arme Mergentheim! Hij zou het voor lief nemen. De rehabilitaties lagen vast en zeker op het spreekgestoelte, en jawel hoor, daar werden ze al voorgelezen, de ontkenningen uit Parijs en Londen, de verklaringen van trouw, de vriendschapswoorden, de broederschapsbetuigingen en weldra de wapenbroederschap. Men had de benoeming tot continentale held zo goed als zeker in de zak, en nu kon men zich gaan bewapenen, de helm opzetten, de helm die de burger vereert, die helm die laat zien wie regeert, de helm die de gezichtsloze staat het gezicht geeft, en alleen in de rechtsradicale borsten bevond zich nog jaloers en verraderlijk de worm van de aartsvijand, en ze dachten aan Landsberg, aan de gevangenissen van Werl en Spandau, ze riepen 'we willen onze generaals terughebben' (en de grote bot verrees uit het water en antwoordde: ga toch naar huis, jullie hebben ze al); en in Knurrewahns borst brandde de kogel en Knurrewahn was uiterst wantrouwend en bezorgd.

Keetenheuve sprak. Ook hij stond in het licht van de bioscoopjournaals, ook hij zou in de bioscoop te zien zijn. *Keetenheuve held van het filmdoek.* Hij sprak eerst in de bedachtzame, bezorgde geest van Knurrewahn. Hij noemde de bedenkingen en angsten van zijn partij, hij waarschuwde voor vergaande verplichtingen die niet te overzien waren, hij vestigde de aandacht van de wereld op het gedeelde Duitsland, op de twee zieke zones, die – dat was de belangrijkste Duitse taak – weer verenigd moesten worden, en terwijl hij sprak had hij het gevoel: het is zinloos, wie luistert naar mij, wie zou er ook naar mij luisteren, ze weten dat ik dit zeg en dat ik dat moet zeggen, ze kennen mijn argumenten, en ze weten dat ook ik geen recept heb waarmee de patiënt morgen gezond wordt, en daarom geloven ze verder in hun therapie, waarmee ze minstens de helft die ze als gezond en levensvatbaar beschouwen denken te redden, en toevallig stroomt daar de Rijn, toevallig stroomt daar de Roer, en toevallig steken daar de schoorstenen van het industriegebied de lucht in.

De kanselier leunde met zijn hoofd op zijn hand. Hij zat onbeweeglijk. Luisterde hij naar Keetenheuve? Je wist het niet. Luisterde iemand naar hem? Je kon het niet weten. Mevrouw Pierhelm slingerde weer haar reclameleuze naar het spreekgestoelte *Veiligheid voor alle vrouwen*; maar ook mevrouw Pierhelm had niet geluisterd. Knurrewahn hield zijn hoofd achterover, met zijn borstelhaar zag hij eruit als Hindenburg of als een toneelspeler die een oude generaal speelt; de eeuw aardde naar zijn filmacteurs, en zelfs een mijnwerker zag er al uit als een kompel die wordt gespeeld, en Keetenheuve kon niet zien of Knurrewahn sliep, nadacht of dat het hem aangenaam streelde zijn eigen gedachten uit Keetenheuve's mond te horen. Slechts één luisterde echt naar Keetenheuve: Korodin; maar Keetenheuve zag Korodin niet, die met tegenzin geboeid was en weer geloofde dat de afgevaardigde Keetenheuve voor een ommekeer stond die hem in Gods nabijheid moest brengen.

Keetenheuve wilde zwijgen. Hij wilde weglopen. Het had geen zin om verder te praten als niemand naar hem luisterde; het was nutteloos, woorden uit te kramen als je er niet van overtuigd was een weg te kunnen wijzen. Keetenheuve wilde de weg van het roofdier verlaten en het pad van het lam gaan. Hij wilde de vredelievende mensen leiden. Maar wie was vredelievend en bereid hem te volgen? En verder gedacht, als allen zich vredelievend om Keetenheuve schaarden, dan zouden ze weliswaar niet op een slagveld terechtkomen, maar het bleef de vraag of ze de Schedelplaats konden ontlopen. Ongetwijfeld was het moreel beter vermoord te worden dan in de slag te vallen, en de bereidheid om niet strijdend te sterven was de enige mogelijkheid het gezicht van de wereld te veranderen. Maar wie was bereid op het gevaarlijke, duizelingwekkende hoge koord van zo'n ethiek te klimmen? Ze bleven op de grond, lieten zich een verdomd wapen in de hand stoppen en stierven vervloekt en met een opengereten buik, net zo dom als hun tegenstanders. En als de verschrikkelijke oorlogsdood, zo dacht Keetenheuve, de wil van God was, dan moest men de wrede God niet onopvallend helpen bij de strijd, dan moest men rechtop en ongewapend op het slagveld gaan staan en schreeuwen: toon je verschrikkelijk gelaat, toon het naakt, sla, moord, zoals het je bevalt en schuif de schuld niet op de mensen.

En toen Keetenheuve naar het onoplettende, naar het verveelde, het onaangedane gezelschap keek, toen hij de kanselier weer zag, verveeld, star, met zijn hoofd op zijn hand, toen riep hij naar hem: 'U wilt een leger vormen, mijnheer de kanselier, u wilt geschikt zijn voor een bondgenootschap, maar welke bondgenootschappen zal uw generaal sluiten? Welke verdragen zal uw generaal breken? In welke richting zal uw generaal marcheren? Onder welke vlag zal uw generaal vechten? Kent u het doek, mijnheer de kanselier, weet u de richting? U wilt een leger. Uw ministers willen parades. Uw ministers willen op zondag opscheppen, willen hun *mannen weer in de ogen zien*. Prachtig. Laat die domkoppen maar, inwendig veracht u hen, maar hoe staat het met uw droom, mijnheer de kanselier, op een affuit te worden begraven? U zult op een affuit worden begraven, maar uw staatsbegrafenis zal gevolgd worden door miljoenen lijken die niet eens meer door het goedkoopste dennenhout bedekt worden, die daar verbranden waar ze staan, die daar door de aarde worden begraven waar de aarde openscheurt. Wordt maar oud, mijnheer de kanselier, wordt maar oeroud, wordt maar ereprofessor en eresenator en eredoctor van alle universiteiten. Rijdt maar met al die loftuitingen op een rozenwagen naar het kerkhof, maar mijdt de affuit – die is geen eerbetoon voor zo'n verstandige, voor zo'n belangrijke, voor zo'n geniale man!' Had Keetenheuve de woorden werkelijk geroepen, of had hij ze weer alleen maar gedacht? De kanselier leunde nog steeds rustig met zijn hoofd op zijn hand. Hij zag er uitgeput uit. Hij zag er niet onnadenkend uit. De zaal fluisterde. De president keek verveeld naar zijn buik. De stenografen hielden verveeld hun schrijfgerei klaar. Keetenheuve liep weg. Hij baadde in het zweet. Zijn fractie applaudisseerde plichtmatig. Vanaf uiterst links klonk gefluit.

Mevrouw Pierhelm beklom het spreekgestoelte: veiligheid, veiligheid, veiligheid. Sedesaum huppelde het spreekgestoelte op, hij was amper te zien: Christus en Vaderland, Christus en Vaderland, Christus en Vaderland. Christus en de wereld? Dörflich maakte zich meester van het parlement en van de microfoon: principiële vijandschap, Duitse trouw aan principes, vijand blijft vijand, eer blijft eer, oorlogsmisdaden alleen aan de kant van de vijand, rehabilitatie dringend noodzakelijk. Heette Dörflich werkelijk Dörflich? Je kon het idee hebben dat hij Bormann heette; geen wonder dat de melk bij hem zuur werd. Even had Keetenheuve medelijden met de kanselier. Nog steeds zat hij in een onbeweeglijke houding, het hoofd op de hand geleund. Maurice bracht staatsrechtelijke bezwaren naar voren. Korodin moest nog spreken. Hij zou het christelijke avondland in de strijd gooien, de oude cultuur verdedigen en met Europa dwepen. Ook Knurrewahn zou nog kort voor de stemming spreken. Keetenheuve ging het restaurant in. De vergaderzaal moest leeggelopen zijn. Er waren meer afgevaardigden in het restaurant dan bij de plenaire vergadering. Keetenheuve zag Frost-Forestier, maar hij ontliep hem. Hij ontliep Guatemala. Hij wilde geen aalmoezen. Keetenheuve zag Mergentheim. Mergentheim kwam achter een kop koffie bij van radioberichten. Hij hield hof. Men feliciteerde hem dat hij de kanselier was opgevallen. Keetenheuve ontliep hem. Hij wilde geen herinneringen. Hij wenste geen verklaringen. Hij ging naar buiten, het terras op. Hij ging onder een van de bonte parasols zitten. Hij zat als onder een paddestoel. *Een mannetje staat heel stil en zwijgend in het bos.* Hij bestelde een glas wijn. De wijn was slap en gesuikerd. Het was een klein glas. Keetenheuve bestelde een fles. Hij bestelde haar in ijs. Het zou opgemerkt worden. Er zou gezegd worden: de bons drinkt wijn. Oké, hij dronk in het openbaar wijn. Het kon hem niets schelen. Heineweg en Bierbohm zouden ontdaan zijn als ze het zagen. Het kon Keeten-

heuve niets schelen. De ijsemmer zou Knurrewahn kwetsen.
Dat kon Keetenheuve wel schelen, maar hij schonk zichzelf in.
Hij dronk de koele droge drank met gulzige slokken. Voor hem
lagen bloemperken. Voor hem lagen grindpaden. Voor hem lag
een aan een brandkraan aangesloten brandweerslang. In de
hoek stonden politieagenten met honden. De honden leken op
angstige politieagenten. Bij de beerput stond een extra politie-
busje. De auto stond in de stank, Keetenheuve dronk. Hij dacht:
ik word goed bewaakt. Hij dacht: ik heb het ver gebracht.

Hij dacht aan Musäus. Musäus, de butler van de president,
Musäus, die zichzelf als de president beschouwde, stond op het
met rozen omslingerde terras van het presidentiële paleis, en
ook hij zag de politieagenten, die hun versperring tot aan hem
hadden vooruitgeschoven, hij zag de politieauto's rijden, hij
zag de hondenbegeleiders tot bij hem komen, en hij zag politie-
boten over de rivier stuiven. Toen dacht Musäus dat hij, de president, gevangen was, en de politie liet dichte, ondoordringbare
rozenhagen om het paleis groeien, ze groeiden bezet met door-
nen, vanzelf afgaande vuurwapens, voetangels en politiehonden
hoog op rond de residentie van de president, de president kon
niet ontkomen, kon niet naar het volk vluchten, en het volk kon
niet bij de president komen. Het volk vroeg, wat doet de president? Het volk informeerde, wat zegt de president? En men
meldde aan het volk: de president is oud, de president slaapt, de
president ondertekent de verdragen die de kanselier hem voor-
legt. En men zei het volk ook dat de president zeer tevreden was
en men liet het volk foto's van de president zien waarop de president tevreden in de presidentenstoel zat, en in zijn hand ver-
gloeide wit en voornaam een dikke zwarte sigaar. Maar Musäus
wist dat hij, de president, onrustig was, dat zijn hart onrustig
klopte, dat hij bedroefd was, dat ergens iets niet klopte, misschien
de verdragen niet, misschien de rozenhagen niet, misschien de
politie met haar honden en wagens niet, en toen raakte Musäus,
de president, ontstemd, hij hield opeens niet meer van het landschap dat stil als een mooie oude foto voor zijn ogen lag, nee,

Musäus, de goede president, hij was te bedroefd om zich langer over het land te verheugen, hij daalde af naar de keuken, hij at een ribbetje, hij dronk een flesje, hij moest het doen – van verdriet, van zwaarmoedigheid, van bedroefdheid en een neerslachtig gemoed.

Keetenheuve ging terug naar de vergaderzaal. De zaal liep weer vol. Weldra zou men gaan doen waarvoor men hier was gekomen, men zou zijn stem afgeven en zijn geld hebben verdiend. Knurrewahn sprak. Hij sprak vanuit een oprechte bezorgdheid, een patriot die door Dörflich zou worden opgehangen zodra dat mogelijk was. Maar ook Knurrewahn wilde zijn leger hebben, ook hij wilde geschikt zijn voor een bondgenootschap, maar nog niet op dit moment. Knurrewahn was een man uit het oosten, en het lag hem na aan het hart het oosten weer met het westen te herenigen, hij droomde ervan de grote hereniger te zijn, hij hoopte bij de volgende verkiezingen de meerderheid te behalen, in de regering te komen en dan wilde hij de eenheid tot stand brengen, daarna moest dan het leger en de geschiktheid voor het bondgenootschap komen. Het was merkwaardig hoe gemakkelijk op elk moment van de geschiedenis de oudsten bereid waren de jeugd te offeren aan de moloch. Het parlement was niets nieuws te binnen geschoten. Er werd hoofdelijk gestemd. De stembriefjes werden verzameld. Keetenheuve leverde zijn stem tegen de regering in, en hij wist niet eens of hij daar goed aan deed, of hij politiek verstandig handelde. Maar hij was ook niet meer van zins verstandig te handelen. Wie zou deze regering opvolgen? Een betere regering? Knurrewahn? Keetenheuve geloofde niet dat Knurrewahns partij de meerderheid zou behalen om te regeren. Misschien zou op een dag een grote coalitie van ontevredenen regeren met Dörflich aan de leiding, en dan had je de poppen aan het dansen. Daar zaten ze nu en waren aan het eind van hun Latijn, de gunstelingen van het *suffrage universel*, de leerlingen van Montesquieu, en ze hadden helemaal niet in de gaten dat ze met een dwaas spel bezig waren, dat van de scheiding der machten die

Montesquieu had geëist allang geen sprake meer was. De meerderheid regeerde. De meerderheid dicteerde. De meerderheid
behaalde in één klap de overwinning. De burger kon alleen nog
maar kiezen onder welke dictatuur hij wilde leven. De politiek
van het kleinere kwaad, die was het A en O van alle politiek, het
alfa en omega van de verkiezing en van de beslissing. *De gevaren
van de politiek, de gevaren van de liefde*, men kocht brochures en
voorbehoedsmiddelen, men geloofde er heelhuids vanaf te komen, en plotseling had men kinderen en plichten of syfillis.
Keetenheuve keek om zich heen. Ze zagen er allemaal beteu-
terd uit. Niemand feliciteerde de kanselier. De kanselier stond
er eenzaam bij. De Grieken deporteerden hun grote mannen.
Tegen Themistocles en tegen Thucydides besliste het scherven-
gericht. Thucydides werd pas in ballingschap een groot man.
Ook Knurrewahn stond eenzaam. Hij vouwde briefjes dicht. Zijn
handen beefden. Heineweg en Bierbohm keken verwijtend
naar Keetenheuve. Ze keken verwijtend alsof het zijn schuld
was dat Knurrewahns handen beefden. Keetenheuve stond er
volledig verlaten bij. Iedereen meed hem, en hij ontweek iedereen. Hij dacht: als we een regeninstallatie in de zaal hebben, zou
die aangezet moeten worden, het zou hard moeten gaan re-
genen, een grijze landregen zou moeten neerkletteren en ons allemaal doornat moeten maken. *Keetenheuve de grote parlementaire landregen*

Het was over. Het was allemaal voorbij. Het was alleen maar
theater geweest; men kon zich afschminken. Keetenheuve verliet de zaal. Hij vluchtte niet. Hij liep langzaam. Geen Erinnyen
joegen hem op. Hij maakte zich stap voor stap los uit een be-
hekst bestaan. Hij wandelde weer door de gangen van het parlementsgebouw, weer over de trappen van de pedagogische academie, weer door het labyrint, *Theseus die de Minotaurus niet had
gedood*, hij kwam bedaarde bewakers tegen, overheidsschoon-
maakvrouwen gingen met emmers en schrobbers bedaard het
stof te lijf, bedaarde ambtenaren gingen op weg naar huis, het
boterhamzakje netjes opgevouwen in de aktetas, ze wilden het

morgen weer gebruiken, ze hadden een morgen, ze waren gestalten der duurzaamheid, en Keetenheuve hoorde niet bij hen.
Hij had het gevoel een spookgestalte te zijn. Hij kwam bij
zijn kantoor. Hij deed het neonlicht weer aan. Dubbellichtig,
dubbelgezichtig en bleek stond de afgevaardigde in de wanorde
van zijn volksvertegenwoordigend leven. Hij wist dat het voorbij was. Hij had de strijd verloren. De omstandigheden hadden
hem verslagen, niet de tegenstanders. De tegenstanders hadden
nauwelijks oog voor hem gehad. De omstandigheden waren het
onvermijdelijke. Ze waren de ontwikkeling. Ze waren het nood-
lot. Wat restte Keetenheuve? Er restte hem zich erin te schikken, zich te houden aan de fractiebende, mee te lopen. Allen
liepen ergens mee, raakten gehecht aan de noodzakelijkheid,
zagen haar in, beschouwden haar misschien zelfs als de Ananke
van de Ouden, en toch was het alleen maar de sleur van de
kudde, de stuwkracht van de angst en een armzalige weg naar
het graf. Neem je kruis op je, riepen de christenen. Dien, eisten
de Pruisen. Divide et impera, leerden slechtbetaalde leraren
de jongens. Op Keetenheuve's bureau lagen nieuwe brieven aan
de afgevaardigde. Zijn hand veegde ze van het blad. Het was
nu totaal zinloos geworden om hem te schrijven. Hij wilde niet
meer meedoen. Hij kon niet meer meedoen. Hij had alles gegeven. Hij gooide zijn afgevaardigdenexistentie met de brieven
weg. De brieven vielen op de grond, en Keetenheuve had de
indruk dat hij ze hoorde steunen en jammeren, ze scholden en
vloekten op hem, er lagen verzoeken, en er waren verbittering,
dreigingen met zelfmoord en dreigingen met aanslagen, dat
zocht ruzie, stookte, wond zich op, dat wilde leven, wilde pensioenen, sociale voorzieningen, een dak, dat wilde banen, vrij-
stellingen, mooie baantjes, uitkeringen, kwijtscheldingen van
straf, een andere tijd en andere echtgenoten hebben, dat wilde
zijn woede luchten, zijn teleurstelling uiten, zijn radeloosheid
bekennen of zijn advies opdringen. Voorbij. Keetenheuve kon
geen advies geven. Hij had geen advies nodig. Hij nam Elke's
foto mee en de begonnen vertaling van *Beau navire*. De mappen

met de stukken, met de nieuwe lyriek, met de gedichten van E. E. Cummings liet hij op het kantoor achter *(kiss me) you will go.*

Het neonlicht op Keetenheuve's kantoor brandde de hele nacht. Het lichtte naargeestig over de Rijn. Het was het oog van de draak uit de sage.

Maar de sage was oud. De draak was oud. Hij paste niet op een prinses. Hij bewaakte geen schat. Er was geen schat en er waren geen prinsessen. Er waren onverkwikkelijke dossiers, ongedekte wissels, onbedekte schoonheidskoninginnen en vuile zaakjes. Wie wilde dat alles bewaken? De draak was een klant van de stedelijke elektriciteitscentrale. Zijn oog lichtte met een spanning van tweehonderdtwintig volt en gebruikte vijfhonderd watt per uur. Zijn magie leefde in de verbeelding van de toeschouwer. Het was een zieloze wereld. Ook de vreedzame Rijn was louter verbeelding van de toeschouwer.

Keetenheuve liep langs de Rijnkade de stad in. Hij kwam de stenografen van de Bondsdag tegen. Ze droegen hun regenjassen over de arm. Ze slenterden naar huis. Ze zaten aan de rivier. Ze hadden geen haast. Ze zochten hun spiegelbeeld in het troebele water. Hun gestalte schommelde op trage golven. Ze dreven in een zwakke warme wind. Het was de zwakke warme wind van hun existentie. Vreugdeloze kamers lagen op hen te wachten. Op een enkeling lag een lusteloze schoot te wachten. Sommigen bekeken Keetenheuve. Ze keken ongeïnteresseerd. Ze hadden verveelde lege gezichten. Hun hand had Keetenheuve's woorden opgetekend. Hun geheugen had zijn woorden niet bewaard.

Een plezierboot naderde de oever. Boven het dek brandden lampions. Een reisgezelschap zat aan de wijn. De mannen hadden bonte petten op hun kale schedels gezet. Ze hadden lange neuzen op hun patatneuzen gezet. De mannen met de bonte petten en de lange neuzen waren fabrikanten. Ze omhelsden lelijk geklede, lelijk gekapte, sterk en zoetig ruikende fabrikantenvrouwen. Ze zongen. De fabrikanten en de fabrikanten-

vrouwen zongen 'Waar de meeuw vliegt naar het Noordzee-
strand'. Onder het smerig schuim van het waterrad stond op
een klein podium de uitgeputte kok van het schip. Hij keek
afgemat en verveeld naar de oever. Aan zijn naakte armen kleef-
de bloed. Hij had droevige stomme karpers gedood. Keetenheuve dacht: zou het een existentie voor mij zijn, elke dag de
Noordzeemeeuwen, elke dag de Loreley? *Keetenheuve droevige
kok van de Rijnstoombotenmaatschappij, doodt geen karpers*

In het paleis van de president brandde licht. Alle ramen stonden open. De zwakke warme wind, de wind van de stenografen,
stroomde door de vertrekken. Musäus, de butler van de president, die zichzelf als de president beschouwde, liep van kamer
naar kamer, terwijl de echte president een van zijn erudiete toespraken van buiten leerde. Musäus inspecteerde of de bedden
waren opgemaakt. Wie zou er deze nacht in slapen? Het Bonds-
schip met de president dreef in de zwakke warme wind op trage
golven weg, maar gevaarlijke rotsen lagen verraderlijk verborgen onder de zachte stroming, en toen werd de rivier onverhoeds woest, verwoestend, schipbreuk dreigde, te pletter slaan
in een dreunende val. De bedden waren opgemaakt. Wie zou
slapen? De president?

Een affiche lichtte op, door schijnwerpers beschenen, een
verlichte tent was opgezet aan de oever van de Rijn, het stonk
naar slijk, verrotting en kunstmatige instandhouding van een
lijk. *Jonas de walvis moet je hebben gezien!* Kinderen belegerden
de tent. Ze zwaaiden met papieren vlaggetjes, en op de vlaggetjes stond: *Eet Busse's vitaminerijke zuivere walvisvetmargarine.*
Keetenheuve betaalde zestig pfennig en stond voor het grootste
zoogdier van de zee, de Leviathan van de Bijbel, een mammoet
van de poolzeeën, een koninklijk schepsel, voorwereldlijk,
mensenverachtend en toch een harpoenenprooi, een jammerlijk verminkte en tentoongestelde grootheid, een met formaline
ingespoten en niet begraven kadaver. De profeet Jona werd in
de zee gegooid, de walvis verslond hem (de goede walvis, Jona's
redder, Jona's voorzienigheid), drie dagen en drie nachten zat

Jona in het lichaam van de geweldige vis, de zee werd kalm, de metgezellen die hem in het water hadden gegooid, roeiden in de lege weidsheid, ze roeiden gerustgesteld de lege, oeverloze horizon tegemoet, en Jona bad tot God uit de buik van de hel, uit de duisternis die zijn redding was, en God maakte zichzelf voor de walvis verstaanbaar, en hij beval het brave, het misbruikte, het aan vasteneten gewende monnikendier, de profeet weer uit te spuwen. Dit kon, als je het latere gedrag van de profeet in aanmerking nam, ook een indigestie van de goedmoedige vis zijn geweest. En Jona ging naar Ninive, naar de grote stad, en hij predikte *Nog veertig dagen, en dan zal Ninive vergaan*, en toen dat de koning van Ninive ter ore kwam, stond hij op van zijn troon, legde zijn purperen gewaad af en hulde zich in een zak en ging in de as liggen. Ninive deed boete voor de Heer, maar het ergerde Jona dat de Heer zich over Ninive erbarmde en het redde. Jona was een grote en begaafde, maar hij was ook een kleine en betweterige profeet. Hij had gelijk: Ninive moest in veertig dagen vergaan. Maar God dacht grillig, hij dacht niet volgens het denk- en dienstvoorschrift, volgens welke Jona, Heineweg en Bierbohm dachten, en God verheugde zich over de koning van Ninive, die zijn purper aflegde, en hij verheugde zich over het berouwvolle volk van Ninive, en God liet de bom in de Nevadawoestijn sterven, en hij verheugde zich, omdat ze in Ninive vriendelijke kleine boogie woogies te zijner ere dansten. Keetenheuve had het gevoel dat hij door de walvis was verslonden. Ook hij zat in de hel, ook hij zat diep onder de zeespiegel, ook hij in het lichaam van de grote vis. *Keetenheuve profeet van oudstamentische strengheid.* Maar door God gered, uitgespuwd uit de buik van de walvis, zou Keetenheuve weliswaar Ninive's ondergang verkondigen, maar groot zou zijn vreugde zijn als de koning zijn purper zou afleggen, afleggen de uit een verhuurbedrijf voor vermommingsartikelen geleende koningsmantel, en Ninive gered zou zijn. Voor de tent stonden de kinderen. Ze zwaaiden met hun vlaggetjes *Eet Busse's vitaminerijke zuivere walvisvetmargarine.* De kinderen hadden bleke, verbitterde gezichten, en ze zwaaiden uiterst ernstig met hun papieren vlaggetjes, zoals de reclame-experts dat van hen verwachtten.

Een paar stappen verder stootte Keetenheuve op een schilder. De schilder was met een woonauto naar de Rijn gereden. Hij zat in het licht van zijn autolamp aan de oever van de rivier, hij keek peinzend de avond in en hij schilderde een Duits berglandschap met een hut, met een alpenherderin, met gevaarlijke steile hellingen, met veel edelweiss en met dreigende wolken, het was een natuur die Heidegger verzonnen kon hebben en waarin Ernst Jünger zijn boswandelingen had kunnen lopen, en het volk stond om de schilder heen, informeerde naar de prijs van het kunstwerk en bewonderde de meester.

Keetenheuve beklom een fortificatie, het oude tolgebouw, hij zag verweerde oude kanonnen, die misschien nog gemoedelijk, met vriendschappelijke slagen als groet van soeverein naar soeverein op Parijs hadden geschoten, hij zag ranke, niet goed gedijende, teringachtig waaiende populieren, en achter hem stond op een waardige goedkope sokkel Ernst Moritz Arndt in een onderwijzend spraakzame houding. Twee kleine meisjes klauterden op de voeten van Ernst Moritz Arndt. Ze hadden ruwe, veel te grote katoenen broeken aan. Keetenheuve dacht: ik zou jullie graag in leuke kleren steken. Maar vóór hem verhief zich nu machtig de rivier uit het landschap. Vanuit zijn middelste, smalle loop stortte hij zich breed in de weidsheid van de Beneden-Rijn, gaf zich over aan de handel, aan de drukte, aan het winstbejag. Het Siebengebirge verdween in de avond. De kanselier en zijn rozen verdwenen in de avondschaduw. Links spande zich in hoge bogen de brug naar Beuel. Kandelaars schenen op de brug als fakkels tegen de schemering. Een driewagentram leek op de middelste boog van de brug stil te staan. Het was alsof de tram uit elke werkelijkheid was gelicht, voor een moment het superrealistisch evenbeeld van een verkeersmiddel, een spookachtig abstractum. Het was een doodstram en je kon je niet voorstellen dat hij ergens naartoe ging. Je kon je niet eens voorstellen dat de tram naar de ondergang ging. De tram was, zoals hij op de brug stond, betoverd, versteend, een fossiel of een kunstwerk, een tram op zichzelf, zonder verleden en zonder toekomst. Een palm verveelde zich in de oeverborders. Het was niet waarschijnlijk dat het een palm uit Guatemala was; maar Keetenheuve dacht aan de palmen van het Plaza van Guatemala. Een heg als van een kerkhof stond om de palm in Bonn. Aan de oever stonden padvinders. Ze spraken een buitenlandse taal. Ze bogen zich over de leuning van de oever en keken in de rivier. Het waren jongens. Ze hadden korte broeken aan. In hun midden was een meisje. Het meisje had een lange zwarte, zeer strakke, dijen en kuiten aftekenende broek aan. De jongens hadden hun armen op de schouders van het meisje gelegd. In de padvindersorganisatie heerste liefde. Ze greep Keetenheuve aan. De padvinders existeerden. De liefde existeerde. De padvinders en de liefde existeerden op deze avond. Ze existeerden in deze lucht. Ze existeerden aan de oever van de Rijn. Maar ze waren volledig onwerkelijk! Alles was hier zo onwerkelijk als de bloemen in een broeikas. Zelfs de zachte en hete wind was onwerkelijk.

Keetenheuve draaide de stad in. Hij kwam in de wijk die was verwoest. Uit een ruïneterrein, uit muurstompen, uit een kelderlandschap rees ongeschonden de gele pijl van de luchtbescherming *Rijn*. De bewoners van de stad waren eens naar de rivier gevlucht om hun leven te redden. Een grote zwarte wagen parkeerde tussen de puinhopen. Een wagen met een buitenlands nummerbord rauste over een puinstraat. Op een waarschuwingsbord stond het woord *school*. De buitenlandse wagen remde in het kraterveld. Uit de voren kropen gestalten op hem af.

Keetenheuve zag weer de etalages, hij zag de etalagepoppen, hij zag de pompeuze slaapkamers, de pompeuze doodskisten, de velerlei geslachtelijke verkeers- en voorbehoedsapparaten; hij zag al het comfort dat de kooplui in vredestijd voor het volk uitstalden.

Hij ging weer het minder voorname wijnlokaal in. De

stamtafels waren bezet. De stamgasten discussieerden over de stemming in de Bondsdag. De stamgasten waren slecht gehumeurd, en de stemming beviel hun niet. Maar hun ontevredenheid en hun slechte humeur waren steriel; ze leken op een slecht humeur en een ontevredenheid in een vacuüm. De stamgasten namen kwalijk. Ook elk ander resultaat van de parlementszitting zou hen slecht gehumeurd en ontevreden hebben gemaakt. Ze spraken over de Bondsdag met een diepgewortelde ergernis; ze spraken over de laatste vergadering als over een gebeurtenis die weliswaar op zich ergerlijk en van een arrogante macht was, maar die hen niets aanging en hen niet raakte. Wat raakte dit volk? Verlangden ze naar de zweep om 'hoera' te kunnen schreeuwen?

Keetenheuve nam geen genoegen met een glaasje wijn *Keetenheuve grote drinker*, hij bestelde een fles, een genotvolle buikfles *onderbuikfles kruideniersgenotfles* goede Ahrwijn. Donkerrood, zacht, smeuïg stroomde de wijn uit de fles het glas in, stroomde de keel in. De Ahr was dichtbij. Keetenheuve had gehoord dat haar dal liefelijk was; maar Keetenheuve had gewerkt, hij had gesproken en geschreven, hij had de rivier en haar dal, hij had de wijnbergen niet bezocht. Hij had ernaartoe moeten gaan. Waarom had hij niet met Elke langs de Ahr gewandeld? Ze zouden er 's nachts zijn gebleven. Hun ramen zouden opengestaan hebben. De nacht was warm. Ze zouden naar het murmelen van het water hebben geluisterd. Of waren het palmen, die ritselden, verdorde, zwaardscherpe bladeren? Hij zat alleen *gezant excellentie Keetenheuve*, hij zat op de veranda in Guatemala. Stierf hij? Hij dronk haastig de wijn. E. E. Cummings' 'handsome man' dronk gulzig; us-dichter Cummings' 'blueeyed boy' dronk gulzig met grote slokken; Mister Death' 'blueeyed boy' *afgevaardigde* dronk gulzig met grote slokken de rode bourgognedruivenwijn van de Duitse Ahr. Wie begeleidde hem vanaf zijn schooltijd, spreidde zijn vleugels over hem uit, liet de scherpe snavel zien, de roofzuchtige klauwen? De Duitse adelaar. Hij maakte zijn gevederte schoon, hij zette zijn veren overeind, zoals bij het ruien der oude strijdvogels. Keetenheuve hield van alle schepsels, maar wapendieren mocht hij niet. Dreigde een nationaal embleem? Was vernedering op komst? Keetenheuve had geen nationaal embleem nodig. Hij wilde niemand vernederen. In zijn zak droeg hij Elke's foto, droeg het op de borst *links waar het hart is.* Als jongen had hij gelezen *De mens is goed. En nu de gruwelijke vochtige donkere diepte van het graf. Bei mir biste scheen. Schön schön schön.* De radioluidspreker boven de stamtafel fluisterde. 'Man schenkt sich Rosen in Tirol.' *Schlagerrozen, rozen ook langs de Rijn, weelderige broeikasluchtrozen, wijze rijke rozenkwekers gaan met de kweekschaar rond en besnijden de jonge loten, heggenknippers op grindbestrooide boswegen, boosaardige oude rozentovenaars, nijvere heksen werken zweten heksen in de broeikas aan de Rijn door de kolen van het mijngebied gestookt. Bei mir biste scheen, bei mir biste cheil. Geil geil geil. Teveel geile politiek, teveel geile generaals, teveel geil verstand, teveel geile schoorstenen, teveel volle etalages in de wereld. Bei mir biste de Scheenste auf der Welt.* Ja, de mooiste façade. 'Vergeet u de optiek niet.' 'U moet het vanuit de juiste optische kant bekijken.' 'Jawel, mijnheer de referendaris, optiek is alles! *Mooiste schoonheidskoningin. Bikini. Atoomproefatol. Mooie zuipster. Elke verloren puinhopenkind. Gebroken. Verloren oorlogs NS gouwleiderskind. Gebroken. Mooiste der tribaden. 'be-o by-o be-o boo would-ja ba-ba-botch-a-me'.* De stamtafelluidspreker zingt; 'want in Texas, daar voel ik me thuis.' *Busse's vitaminerijke gesmolten vet.* De stamtafelzakenheren knikken. Het zijn jongens. Ze voelen zich in Texas thuis. Tom Mix en Hans Albers rijden in de gedaante van de zakenherenjongensdromen op ongezadelde asbakken over de stamtafel. *Standaard van een verenigingsvlag. Waait. Wuift. Everything goes crazy.* Keetenheuve dronk. Waarom dronk hij? Hij dronk omdat hij wachtte. Op wie wachtte hij in de hoofdstad? Had hij vrienden in de hoofdstad? Hoe heetten zijn vrienden in de hoofdstad? Ze heetten Lena en Gerda. Wie waren ze? Ze waren Leger-des-Heilssoldaten.

Ze kwamen, Gerda, de strenge, met de gitaar, Lena, de mecaniciensleerling, met de *Strijdkreet*, en Lena verborg niet dat ze naar Keetenheuve wilde gaan, en Gerda stond er bleek en met vertrokken mond bij. De meisjes hadden ruzie gehad. Dat was te zien. Je zult bestolen worden, dacht Keetenheuve, en hij schrok, omdat hij wreed was, omdat hij merkte dat hij er plezier in had de kleine lesbienne te kwellen, hij was niet ridderlijk (en toch niet onaangedaan), hij zou haar graag de gitaar hebben laten nemen en laten zingen – een lied van de hemelse bruidegom. Hij stelde zich voor hoe mooi het zou zijn Lena, de mecaniciensleerling, om het middel te pakken, waarbij Gerda het lied van de hemelse bruidegom zou zingen. Hij keek in Gerda's bleke gezicht, hij zag de woede in haar gezicht, hij zag de vertrokken mond, hij bekeek de trillende smalle lippen, het nerveuze, gekwelde trekken van de oogleden, en hij dacht: je bent mijn zuster, we behoren beiden tot dezelfde arme hondenfamilie. Maar hij haatte zijn spiegelbeeld, het dwaze spiegelspel van zijn vereenzaming. Een drinker maakt de spiegel kapot; hij verplettert met het versplinterende glas de gehate ridder van de aarzelende gestalte, zijn evenbeeld, die naar de goot overhelt. Lena ging, uitgenodigd, zitten en Gerda, ook uitgenodigd, hurkte met tegenzin neer, omdat ze niet wilde weggaan. De stamtafelheren keken op. Ze zaten in de beschutte loge en sloegen de roofdiergevechten van het leven gade. Keetenheuve pakte de collectebus van het Leger des Heils, stond op, rammelde met de munten, *Keetenheuve later WHW-collectant*, hield hem de zakenlui voor. Die trokken hun neus op. Kenden het collectebusje niet meer, *geen giften voor de Führer en zijn Wehrmacht*. Ze keerden zich af, geoord in hun jongensdromen. Keetenheuve droomde op dit moment sterkere dromen. Pueriel was hij als zij. *Keetenheuve kind pedagoog en pedofilist. Man met ontwikkelde pedagogische eros. Komt op voor de jeugd.* De stamtafelradioluidspreker schetterde: 'Pak de badpakken in!' Een kind zong, blèrde over bos en veld en berg en dal, een geluidsband liep vast. *Een hond heeft geblaft. Waar? In Insterburg. Jodenmop.*

Mergentheimmop. Oude Volksbladmop. Wie leeft? Wie is dood? Wij leven nog. Mergentheim en Keetenheuve, arm in arm, oud Volksbladmonument, aan de hoede van de burgers toevertrouwd! Lena wilde coca-cola met cognac drinken; paste zich aan. Gerda wilde niets aannemen; sapfische principes. Keetenheuve zei: 'Een cognac zou je goed bevallen.' Gerda bestelde koffie; ze bestelde koffie om zich te verzekeren van het recht in elk geval in het lokaal te kunnen blijven. Keetenheuve had nog niets voor Lena, de mecaniciensleerling, gedaan. Hij had er oprecht spijt van. Hij had zijn dag verdaan. De serveerster bracht hem briefpapier. Het was het papier van het wijnlokaal. *Wat is wijn opgevangen zonneschijn* stond op het briefhoofd. De brief zou op de heren geadresseerden een slechte indruk maken. *Keetenheuve man zonder fatsoen.* Hij schreef een brief aan Knurrewahn en schreef een brief aan Korodin. Hij vroeg Knurrewahn en Korodin, Lena, de mecaniciensleerling, weer naar de werkbank te brengen. Hij gaf Lena de brieven. Hij zei tegen haar: 'Korodin weet niet of hij aan God gelooft en Knurrewahn weet niet of hij niet aan God gelooft. Het is het beste om naar alletwee te gaan. Een zal je helpen.' Hij dacht: je zult je niet laten afwijzen, mijn kleine Stachanowa. Hij wilde haar helpen. Maar tegelijkertijd wist hij dat hij haar niet wilde helpen, dat hij het was die zich graag aan haar zou hebben vastgeklampt; hij zou haar graag hebben meegenomen, ze kon bij hem wonen, ze zou bij hem eten, ze moest met hem slapen, hij had weer zin in mensenvlees, *Keetenheuve de oude menseneter*; misschien kon hij Lena naar de Technische Hogeschool sturen, ze zou haar examen doen, *Lena doctor in de ingenieurswetenschap* – en wat dan? Zou hij het durven? Zou hij contact zoeken? Maar wat deed je met een academisch gevormde bruggenbouwer? Sliep je met hem? Wat voelde je wanneer je hem omhelsde? *De liefde is een formule*

Hij pakte Lena en bracht haar naar de ruïnes. Gerda volgde hen. Bij elke stap van haar klopte de gitaar tegen haar manvijandige lichaam en bromde. Het was een monotoon ritme. Het leek op het gelijkmatig geklop van een negertrommel, een

jammerklacht over verslagenheid, over verlatenheid, over verlangen getrommeld in het donkere woud. De zwarte wagen
stond nog steeds te wachten voor het landschap van de muurstompen. De buitenlandse wagen was nog steeds op de puinweg. De maan kwam achter de wolken tevoorschijn. Op gebarsten stenen zat Frost-Forestier. Voor hem stond, nonchalant
en vrijpostig, in een ontspannen houding, overgoten door het
maanlicht, in zijn tot aan de navel geopende overhemd, in zijn
strakke korte broek, met meelbestuifde naakte kuiten en naakte
dijen de mooie bakkersjongen die de caissière van de bioscoop
had willen beroven. Keetenheuve zwaaide een groet naar Frost-
Forestier; maar de schaduwachtige gestalten van de rechtop op
de puinhopen zittende man en van de trots voor hem staande
efebe verroerden zich niet. Ze leken op versteende visioenen, en
alles was onwerkelijk en bovenwerkelijk tegelijk. Uit de op de
puinweg parkerende buitenlandse wagen kwam een gesteun, en
het leek Keetenheuve alsof er bloed onder het portier vandaan
kwam en in het stof der verwoesting druppelde. Keetenheuve
leidde Lena naar een ontruimde kot met halve muren dat eens
een kamer was geweest, je kon zelfs nog iets van het tapijt zien,
het zou het vertrek van een Bonner geleerde geweest kunnen
zijn, want Keetenheuve herkende een Pompeïsch patroon en het
vervaagde wellustige lichaam van een vrouwelijke eroot met be-
schadigde geslachtsdelen die leken op overrijpe vruchten. Gerda volgde Lena en Keetenheuve in dit vervallen gebouw dat
verlicht werd door de maan, en uit de krotten om hen heen, uit
de bedolven kelders, uit de schuilplaatsen van armoede en verval werd gefluisterd, tevoorschijn gekropen en over de grond
geschoven als bij een toneelstuk. Gerda zette de gitaar op een
steen en het instrument antwoordde met een volledig akkoord.
'Speel toch!' riep Keetenheuve. Hij pakte Lena, het meisje uit
Thüringen, hij boog zich over haar nieuwsgierig verwachtings-
vol gezicht, hij zocht haar iets te gebogen, haar zachte, Midden-
Duits sprekende lippen, dronk zoet speeksel, krachtige adem
en warm leven uit haar jonge mond, hij trok de armzalige jurk

van Lena, de mecaniciensleerling, uit, hij raakte haar aan, en
Gerda, nog bleker in het bleke maanlicht, pakte haar gitaar,
sloeg de akkoorden en zong met schelle stem het lied van de
hemelse bruidegom. En uit de aardholen wankelden de versla-
genen, uit de bomtrechters schoven de bedolvenen, uit het
mortelgraf kropen de verstikten, uit hun kelders waggelden de
onbehuisden, en uit de puinbedden kwam de liefde die verkocht
wordt, en Musäus kwam opgeschrikt uit zijn paleis en zag ellende, en de afgevaardigden kwamen op een hun passende wijze bij
elkaar voor een bijzondere nachtelijke zitting op de dodenakker
uit de nationaal-socialistische tijd. De grote staatsman kwam
aangereden en hij mocht in de werkplaats van de toekomst kijken. Hij zag duivels en gewormte, en hij zag dat ze een homun-
culus schiepen. Een moffentrein besteeg de Obersalzberg en
ontmoette het omnibusreisgezelschap van de Rijndochters, en
de moffen verwekten met de wagalaweiameisjes de supermof.
De supermof zwom de honderd meter vlinderslag binnen de
minuut. Hij won met een Duitse wagen de duizendmijlsrace in
Atlanta. Hij vond de maanraket uit en bewapende zich, omdat
hij zich bedreigd voelde, tegen de planeten. Schoorstenen rezen
op als harde stijve leden, een walgelijke rook spreidde zich uit
over de aarde, en in de zwaveldamp stichtte de supermof de
superwereldstaat en voerde de levenslange dienstplicht in. De
grote staatsman wierp een roos in de rook van de toekomst, en
waar de roos neerviel ontstond een bron, en uit de bron stroomde zwart bloed. Keetenheuve lag in de eeuwige bloedvloeiing,
hij lag met het Thüringer meisje, met de Thüringer mecaniciensleerling in de kring van de volksvertegenwoordigers, in de
kring van de staatsmannen, hij lag in het bloedbed, omringd
door daggespuis en nachttuig, en uiltjes cirkelden in de lucht, en
de kraanvogels van de Ibykus krijsten, en de gieren slepen aan
de aangetaste muren hun snavels. Een galgenveld werd opgericht, en de profeet Jona kwam op Jonas de dode en goedmoedige walvis aangereden en controleerde streng de opstelling van
de galgen. De afgevaardigde Korodin sleepte een groot gouden

kruis aan, onder de last waarvan hij gebukt ging. Hij richtte met veel moeite het kruis naast de galg op, en hij was zeer bevreesd. Hij brak goud van het kruis af en gooide de goudstukken in de kring van de staatsmannen en de volksvertegenwoordigers, in de groep nachttuig en daggespuis. De staatsmannen boekten het goud over naar hun rekening. De afgevaardigde Dörflich verstopte het goud in een melkkan. De afgevaardigde Sedesaum ging met het goud naar bed en riep de Heer aan. Het nachttuig en het daggespuis scholden op Korodin met ordinaire woorden. Overal op de muurstompen, in lege ramen, op de gebarsten zuilen uit de vervloeking van de dichter zaten de vraatzuchtige heraldische dieren, hurkten domme moordzuchtige wapenadelaars met opgezette veren en ontstoken snavels, vette zelfvoldane schildleeuwen met een bloedbesmeurde bek, likkebaardende roofvogels met donkervochtige klauwen, een beer gromde dreigend, een rund uit Mecklenburg zei boe, en de SA marcheerde, doodshoofdorganisaties paradeerden, veemmoordbataljons rukten met slaande trom aan, hakenkruisbanieren ontvouwden zich uit met modder besmeurde hoezen, en Frost-Forestier, een stalen helm vol met gaten op het hoofd, riep: 'De doden naar het front!' Een grote legerschouw vond plaats. De jeugd van twee wereldoorlogen marcheerde langs Musäus, en Musäus nam bleek de parade af. De moeders van twee wereldoorlogen trokken zwijgend langs Musäus, en Musäus groette bleek hun zwartomfloerste stoet. De staatsmannen van twee wereldoorlogen liepen met ordetekens behangen op Musäus af, en Musäus ondertekende bleek de verdragen die ze hem voorlegden. De generaals van twee wereldoorlogen kwamen met orden overdekt in paradepas langs; ze stelden zich voor Musäus op, trokken hun sabels, salueerden en eisten pensioenen. Musäus verleende bleek de pensioenen, en de generaals pakten hem beet, brachten hem op de vilderij en leverden hem over aan de beul. Vervolgens trokken de marxisten met rode vlaggen langs. Ze zeulden met een gipsen beeld van de grote Hegel, en Hegel rekte zich uit en riep: 'De grote individuen zijn

in hun bijzondere doeleinden de verwerkelijking van het sub-
stantiële dat de wil van de wereldgeest is.' De uitgemergelde
non-stop-pianospeler uit het nachtcafé speelde daarbij de Internationale. De armzalige schoonheden van het andere nachtcafé dansten de carmagnole. De politieminister kwam aangereden in een waterkanon en nodigde uit tot een klopjacht. Hij
joeg gedresseerde honden over het veld en vuurde ze met kreten
aan: achtervolg hem, pak hem, jaag hem op! De minister probeerde met zijn honden Keetenheuve de hondenvriend te van-
gen. Maar Frost-Forestier spreidde beschermend een wereld-
kaart voor Keetenheuve uit, wees op de Rijn en zei: 'Daar ligt
Guatemala!' De gitaar tokkelde; haar snaren jankten. Het gezang van het Leger des Heilsmeisje schalde ver over de puinhopen, verhief zich boven de puinberg vol ellende en angst. Keetenheuve voelde Lena's overgave, en hij onderging al de overgave van de jaren van zijn terugkeer, al de wanhopige inspanning
zich in de brij te mengen, die onvruchtbaar was gebleven en niet
opluchtte. Het was een daad van volkomen betrekkingsloos-
heid die hij voltrok en hij staarde vreemd in een vreemd, aan de
illusies van de lust overgeleverd gezicht. Enkel bedroefdheid
restte. Hier was geen verheven stemming, hier was schuld, hier
was geen liefde, hier gaapte een graf. Het was het graf in hem.
Hij liet het meisje los en richtte zich op. Voor zich zag hij de pijl
van de luchtbescherming *Rijn*. De wegwijzer stond niet over
het hoofd te zien in het felle maanlicht en wees bevelend naar
de rivier. Keetenheuve brak door de kring van het gespuis dat
zich hier inderdaad had verzameld, aangelokt door het droevige
gezang, door de mooie gitaarklanken van het Leger des Heilsmeisje. Keetenheuve rende naar de oever van de Rijn. Scheld-
woorden, geschater werd hem achternageslingerd. Een steen
werd gegooid. Keetenheuve liep naar de brug. Uit de verlichte
vitrines van het warenhuis bij het begin van de brug wenkten de
etalagepoppen. Ze strekten verlangend de armen uit naar de
afgevaardigde, die voor altijd hun betovering ontvluchtte. Voorbij. *Het was voorbij. De eeuwigheid was al begonnen.*

Keetenheuve kwam bij de brug. De brug trilde onder het rijden van de er onwerkelijk uitziende trams, en Keetenheuve had de indruk dat de vrij zwevende boog van de brug trilde onder het gewicht van zijn lichaam, onder het neerzetten van zijn haastige stappen. De bellen van de spookachtige trams weerklonken; het leek op een boosaardig gegiechel. In Beuel aan de overkant van de rivier straalde uit een krans van gloeilampen het woord *Rheinlust*. Uit de landelijke tuin vloog een vuurpijl de lucht in, klapte uit elkaar, viel neer, een stervende ster. Keetenheuve pakte de brugleuning, en weer voelde hij het trillen van het wegdek. Het was een sidderen in het staal, het was alsof het staal leefde en Keetenheuve een geheim wilde verklappen, de leer van Prometheus, het raadsel van de mechanica, de wijsheid van de smid – maar de boodschap kwam te laat. De afgevaardigde was volstrekt overbodig, hij was zichzelf een last, en een sprong vanaf deze brug maakte hem vrij.